JN060942

省エネ合格 でる単語だけ

大特訓

英検® 2級 TOP**600**

編著｜植田一三

著｜藤井めぐみ、上田敏子、塚正峯子

OpenGate

No.1 英語教材アプリ
abceed

無料アプリ abceed でダウンロードして音声を聴くことができます。

❶ ページ下の QR コードまたは URL から、無料アプリ abceed (Android / iOS 対応) をダウンロードしてください。

❷ 画面下の「見つける (虫めがねのアイコン)」タブをクリックして、本書タイトルで検索します。
表示された書影をクリックし、音声>ボタンをクリックすると、音声一覧画面へ遷移します。

❸ 再生したいトラックをタップすると音声が再生できます。また、倍速再生、区間リピートなど、学習に便利な機能がついています。

＊ アプリの詳細は www.abceed.com にてご確認ください。

以下の音声が聞けます。

Chapter 1 の 600 語、Chapter 2 の約 200 語、Chapter 3 の約 150 語

＊ページの右上に Track 001 などと記載されています。

＊音声は見出し語 (英語)、意味 (日本語)、用例 (英語) の順に収録しています。

＊Chapter 2, Chapter 3 は用例の意味 (日本語) も収録しています。

アプリのダウンロードはこちら

https://www.abceed.com/
abceed は株式会社 Globee の商品です。
アプリについてのお問い合わせ先
info@globeejp.com
(受付時間：平日の 10 時 -18 時)

プロローグ

　グローバル化が進み、実用英語力が求められる中、英検 2 級に合格できる英語力へのニーズが高まっています。実際、2 級合格は、早稲田大学、上智大学、関西学院大学、関西大学、同志社大学、中央大学、青山学院大学、学習院大学、明治大学、立命館大学、広島大学、立教大学、法政大学などの大学で優遇されています。また、アメリカ・カナダの約 400 の大学は、留学に必要な英語力の証明として英検 2 級を採用しています。

　このように実用英語力の指標として評価が高まっている英検 2 級ですが、比較的簡単にパスできる準 2 級と違って、ハードルが高い高校生や社会人学習者が多いようです。特に、簡単な英文献を読むのに最低必要な 4 千語水準の語彙力が要求される語法問題では、よくて 5 割ぐらいしか得点できない受験者が多いのが現状です。そこで、語彙問題で高得点が取れ、一気に英検 2 級に合格できるように、必須語彙を光速で習得するために書かれた本書の特長は次の 6 つです。

1. 最短時間＆最小エネルギーで語彙をマスターするために、**必須語彙 600 語＆熟語約 350 語を厳選**し、前者は **100 語ごとに重要度をランキング、後者は特に重要なものをマーキング！**
2. 効率よく認識語彙（読解でわかる語彙）・運用語彙（使える語彙）を UP させるために、**最も頻度の高くて覚えやすいフレーズを厳選！**
3. 言い換えが基調である読解やリスニング問題に対応できるように、収録語彙は最も意味の近い類語を厳選！

4. 単語記憶効率を高めるために**ギャグの記憶術や単語の由来を
   紹介**

5. 英語の試験対策の効率を UP させるために、**見出し語の派生語
   は最も頻度の高いものを採用！**

6. ビジュアルに訴える**「語根の面白コラム」**で記憶効率を数倍
   UP！

　本書の制作にあたり、惜しみない努力をしてくれたアクエアリーズ
スタッフの藤井めぐみ氏（ピース英語研究室代表）、塚正峯子氏、上田
敏子氏と、われわれの努力の結晶である著書を愛読してくださる読者
の皆さんには、心からお礼を申し上げます。それでは明日に向かって
英悟の道を

Let's enjoy the process!（陽は必ず昇る）

植田一三

CONTENTS

本書の特色と使い方

　英語の試験対策のためには単語学習は欠かせません。しかし重要なのは、それを素早く終えること。身につけた語彙力を土台にして、リーディング、リスニング、ライティング、スピーキングの技能を総合的に伸ばしていくのが効果的です。

　本書は英検 2 級合格に本当に必要な単語を素早くマスターするための本です。

本書の特色と学習法

1 合格に必要な単語と句動詞を厳選

　本書では英検についての長年の研究成果と最近の出題傾向の分析をもとに、単なる過去問での出現頻度順にとどまらず、本当に学習すべき語彙を重要度順に学習できるようになっています。また Chapter 2 では take, make などの最重要基本動詞 31 語を各単語のコンセプト付きでまとめ、重要表現を一気にマスターできるようにしました。

2 サクサク何度も学習

　人間の脳は何度も触れた情報を重要な情報だと判断して長期記憶に残す仕組みになっています。したがって一回の学習には時間をかけず、サクサク何周も学習するのが効果的。本書では重要度順に 1 グループ 100 個ずつ学習できるように構成されています。毎日 1 グループずつ学習し、一度学習したグループを数日おいて再度学習することを繰り返す学習法をお勧めします。

3 最小単位の用例で学習

　単語とその意味だけを機械的に覚えたのでは本物の語彙力にはなりません。しかし 1 つの単語を覚えるのに例文をまるごと学習するのは非効率。本書では、最短で学習できるように、重要なコロケーションなどを含む最小単位の用例で学習できるようになっています。

4 すべての単語に覚え方がついている

　語彙を自分のものにするためには自らの経験を伴うエピソード記憶として

記憶するのが効果的です。本書ではすべての単語について、覚え方のヒント、語源、語呂合わせなど、その単語に適した記憶法を紹介しています。それらについて自分で考えながら学習を進めることで、語彙学習を経験化することができます。

5 英単語の語源をまとめてチェック!

最後の Chapter 4 では英単語の語源・語根をまとめてチェックします。42項目すべてにイラストを付け、ビジュアルイメージで記憶に残しやすいようにしました。

単語を重要度順に100個ずつグループ分けしています。　｜　単語の重要度は星印で示しています。　｜　重要な派生語を厳選して収録しています。　｜　音声をダウンロードする方法は 003 ページを参照してください。

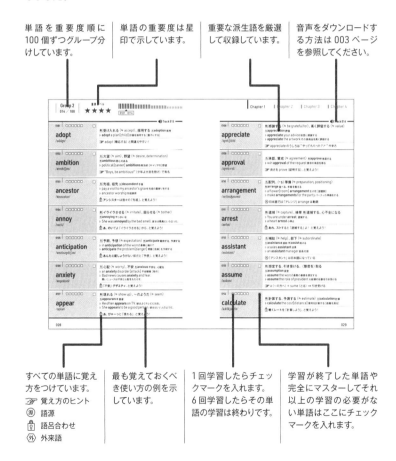

すべての単語に覚え方をつけています。
　覚え方のヒント
（源）語源
（語）語呂合わせ
（外）外来語

｜　最も覚えておくべき使い方の例を示しています。

｜　1回学習したらチェックマークを入れます。6回学習したらその単語の学習は終わりです。

｜　学習が終了した単語や完全にマスターしてそれ以上の学習の必要がない単語はここにチェックマークを入れます。

Chapter 1

2 級合格単語 TOP600

🔊 Track 001

0001 □□□□□□ □

accurate
/ǽkjurət/

形 的確な、精密な (≒ correct, precise) 名 accuracy 正確さ
▷ accurate information [data] 正確な情報 [データ]

🔖 アキレタぐらい「正確な」、と覚えよう!

0002 □□□□□□ □

achieve
/ətʃíːv/

動 達成する (≒ accomplish) 名 achievement 達成
▷ achieve the goal [aim] 目標 [目的] を達成する
▷ achieve success 成功する

🔖 あっちブイブイ目標「達成する」、と覚えよう!

0003 □□□□□□ □

adjust
/ədʒʌ́st/

動 (物・事を) 適合させる、(環境などに) 順応する
(≒ adapt) 名 adjustment 調整
▷ adjust myself to the new job[life] 新しい仕事 [生活] に慣れる

🔖 アッ、just (ちょうど) に「適合させる」、と覚えよう!

0004 □□□□□□ □

admire
/ædmáiər/

動 感心する、敬服する (≒ respect, praise)
形 admirable 見事な 名 admiration 感服
▷ admire his courage 彼の勇気に感服する
▷ admire the view of the ocean 素晴らしい海の眺めに見入る

🔖 あー (ど) うまいやーと「感心する」、と覚えよう!

0005 □□□□□□ □

admit
/ædmít/

動 (不本意ながら) 認める、入学 [入場] を認める
(≒ acknowledge)
▷ admit a mistake[fault] 間違い [過失] を認める
▷ I admit to you that I made a mistake. 間違いを認めます。

🔖 ad- (…へ)＋mit (送る) → 送り込むことを認める

0006 □□□□□□ □

advanced
/ædvǽnst/

形 進歩した、上級の (≒ developed) 動 advance 前進させる
▷ advanced technology[countries] 先端技術 [先進国]

🔖 advantage と同じく「前に進んだ」、と覚えよう!

0007 □□□□□□ □

amusement
/əmjúːzmənt/

名 楽しみ、娯楽 (≒ entertainment) 動 amuse 楽しませる
▷ an amusement park 遊園地

🔖 アミューズメントパークは「遊園地」のこと

◀))) Track 002

0008 □□□□□□ □

analyze
/ǽnəlàiz/

動|**分析する** (≒ examine) 名|**analysis** 分析、分析結果
▷ **analyze** the data データを分析する
▷ **analyze** the situation 状況を分析する

🔑 穴 (入) いらず「分析する」、と連想しよう！

0009 □□□□□□ □

argument
/ɑ́:rgjumənt/

名|**議論、論争、口論** (with, over, about)
動|**argue** 論争をする (≒ quarrel)
▷ have an **argument** with her 彼女と口論する
▷ win[lose] an **argument** 議論に勝つ [負ける]

🔑「討論」で**あーギューギュー**と言わせる、と覚えよう！

0010 □□□□□□ □

attempt
/ətémpt/

動|**試みる** (≒ try)、**企てる** 名|**試み、努力** (≒ effort)、**企て**
▷ make an **attempt** to escape 逃亡を図る
▷ **attempt** to climb Mt. Fuji 富士山の登山に挑む

🔑 あ、ファイル**添付と**、「試みる」、で覚えよう！

0011 □□□□□□ □

attractive
/ətrǽktiv/

形|**魅力的な** (≒ appealing, tempting, charming)
動|**attract** 引きつける 名|**attraction** 魅力
▷ an **attractive** seaside town 魅力的な海辺の町
▷ an **attractive** design 魅力的なデザイン

�❀ あ、**トラクター**で引っ張られるほど「魅力的」、と覚えよう！

0012 □□□□□□ □

benefit
/bénəfìt/

名|**利益** (≒ advantage)、**恩恵、給付金** 動|**利益を得る**
形|**beneficial** 役に立つ
▷ health[financial] **benefits** 健康 [金銭面] の恩恵
▷ **benefit** from medicine 医療から恩恵を受ける

🔑「利益」は**ベーネ** (good)！ と**フィット**する、と覚えよう！

0013 □□□□□□ □

budget
/bʌ́dʒit/

名|**経費、予算** 動|**予算をたてる [割り当てる]**
▷ a limited [tight] **budget** 限られた予算
▷ the national[annual] **budget** 国家 [年間] 予算

🔑 **バジッ**と「予算」を切り詰める、と覚えよう！

0014 □□□□□□ □

capable
/kéipəbl/

形|**有能な、敏腕な** (≒ able, skillful) 名|**capability** 能力
▷ be **capable** of speaking English 英語を話すことができる

🔑 **キャプテン**なら**できる** (able) ぞ「能力ある」！ と覚えよう！

🔊 Track 003

0015

compare
/kəmpéər/

動 比較する、匹敵する
名 comparison 比較 形 comparable 比較に値する、匹敵する
▷ compare the two prices 2つの価格を比較する

🔑 古今 (ここん) ペアで「比較する」、と覚えよう！

0016

concentration
/kànsəntréiʃən/

名 集中、専念 (≒ close attention)
動 concentrate 集中する
▷ a lack of concentration 集中力の欠如
▷ a concentration of population 人口集中

🔑 全部コンセントに入れて電源「集中」、と覚えよう！

0017

conclusion
/kənklú:ʒən/

名 結論 (≒ close)、決定 (≒ decision) 動 conclude 結論づける
▷ reach a conclusion 結論に達する
▷ a hasty conclusion 早合点

🔑 コンクール (で) 上手な「結論」、と覚えよう！

0018

confidence
/kánfədəns/

名 自信 (≒ self-assurance)、信頼 (≒ trust)
形 confident 確信している
▷ have confidence in myself 自分に自信を持つ
▷ win public confidence in politics 政治で国民の信頼を得る

🔑 紺色スーツのヒデさんは「自信」家だ、と覚えよう！

0019

construction
/kənstrʌ́kʃən/

名 建設 (≒ building)、建築業 [工事]
動 construct 建設する 形 constructive 建設的な
▷ construction workers 建設作業員
▷ under construction 建設中

📖 con (一緒に) + struct (立てる) → 建設する

0020

content
名/kántent/ 形 動 名/kəntént/

名 (~s) (容器などの) 中身、(書物・記録・スピーチなどの) 内容
形 満足して、安心して (≒ happy, satisfied) 動 満足させる
▷ to your heart's content 心ゆくまで
▷ the contents of a box 箱の中身

㊗ デジタル「コンテンツ」は日本語になっている

0021

contribute
/kəntríbju:t/

動 貢献する、寄付する (≒ provide, donate) 名 contribution 貢献
▷ contribute to success 成功に貢献する
▷ contribute food for the disaster victims
　被災者に食料を提供する

📖 con (共に) + tribute (与える) → 貢献する
📖 マイナスイメージにも使われる

◀)) Track 004

0022 □□□□□□　□

criticism
/krítəsìzm/

名|批判、批評　動|criticize 批判する
▷ become a target of **criticism**. 非難の的となる
▷ face a storm of **criticism** 批判の嵐に直面する

🔑 **クリス**は「批判」で**沈む**、と覚えよう！

0023 □□□□□□　□

curious
/kjú(ə)riəs/

形|好奇心 [探究心] が強い (about)　名|curiosity 好奇心
▷ a **curious** child 好奇心旺盛な子供
▷ be **curious** about the neighbor's behavior
　隣人の行動をせんさくしたがる

🔑 **キュウリを捨**てるとは「好奇心が強い」、と覚えよう！

0024 □□□□□□　□

deliver
/dilívər/

動|配達する (≒ bring)、発言 [演説] をする
　(≒ speak, announce)　名|delivery 配達、発言
▷ **deliver** the speech 演説をする
▷ **deliver** a package 小包を配達する

⟨外⟩ ピッツァ「デリバリー」は日本語になっている

0025 □□□□□□　□

demand
/dimǽnd/

名|需要、要求 (≒ need, desire)　反|supply 供給
形|demanding きつい
▷ meet the **demand** 要求 [需要] に応じる
▷ supply and **demand** 需要と供給

⟨外⟩ テレビ番組などの「オンデマンド」は日本語になっている

0026 □□□□□□　□

depend
/dipénd/

動|頼る (≒ rely[count, lean] on)、次第である
名|dependence 依存　形|dependent 依存した
▷ It **depends** on you. あなた次第です。
▷ It's no use **depending** on him. 彼に頼ってもムダだ。

☞ de (下に) + pend (ぶら下が) って → 頼る

0027 □□□□□□　□

description
/diskrípʃən/

名|描写、記述　動|describe 描写する
▷ Her beauty is beyond **description**.
　彼女は言葉では表現できないほど美しい。
▷ give the police an accurate **description** of the accident
　事故の正確な詳細を警察に述べる

☞ de (下に) + scribe (かく) → 描写する

0028 □□□□□□　□

desire
/dizáiər/

名|欲望 (≒ want)、願望 (≒ longing)
動|強く望む (≒ want, wish, hope)
▷ a **desire** for money[fame] 金 [名声] に対する欲望

🔑 「欲しいもの」はこれで (ご)**ざいやす**、と覚えよう！

🔊 Track 005

0029 ☐☐☐☐☐ ☐

disturb
/distə́:rb/

動 (平静を) 邪魔する (≒ interrupt) 名 disturbance 妨害
▷ The noise **disturbed** my sleep. 騒音で眠れなかった。

🔒 イヤです、**タブー**に「邪魔」されるのは、と覚えよう！

0030 ☐☐☐☐☐ ☐

eager
/í:gər/

形 熱望して (≒ enthusiastic) 副 eagerly 熱心に
▷ be **eager** for success 成功への熱望
▷ She is an **eager** beaver. 彼女はがんばり屋さんだ。

🔒 **胃が**痛くなるほど「熱望して」、と覚えよう！

0031 ☐☐☐☐☐ ☐

embarrassed
/imbǽrəst/

形 当惑した (≒ ashamed, red-faced)
名 embarrassment 困惑
▷ I felt **embarrassed** by my mistake. 私は間違いに当惑した。

🔒 え～ん、**バラす**の？「恥ずかしい」ワ～、と覚えよう！

0032 ☐☐☐☐☐ ☐

emphasis
/émfəsis/

名 強調 (≒ attention)、重要視 動 emphasize 強調する
▷ put[place] an **emphasis** on education 教育を重視する

🔒 **円は死す**、と「強調」する、と覚えよう！

0033 ☐☐☐☐☐ ☐

encounter
/inkáuntər/

動 遭遇する (≒ run into, come across) 名 出会い、遭遇
▷ **encounter** a bear[problem] 熊 [問題] に遭遇する

🔒 **円形カウンター**で「出会う」、と覚えよう！

0034 ☐☐☐☐☐ ☐

entertainment
/èntərtéinmənt/

名 娯楽 (≒ amusement)、もてなし 動 entertain もてなす
▷ the **entertainment** industry 芸能界
▷ **entertainment** expenses 交際費

〈外〉「エンタメ」と略すこともある程、日本語に浸透している

0035 ☐☐☐☐☐ ☐

establish
/istǽbliʃ/

動 (会社などを) 設立する (≒ set up, build, launch)、
(名声、関係などを) 確立する 名 establishment 設立
▷ **establish** a branch office 支店を設立する
▷ **establish** a good reputation as an actor
役者としての名声を確立する

☞ st (立つ) + able (できる) → 堅固にする

🔊 Track 006

0036 ☐☐☐☐☐☐ ☐

estimate
動/éstəmèit/ 名/éstəmət/

動 **見積もる、推定する** 名 **見積もり (額)** (≒ quote)、**概算**
▷ **estimate** the repair costs 修理費を見積もる
▷ rough **estimates** 概算

💡 エステのメイト (友) と「見積もりを立てる」、と覚えよう!

0037 ☐☐☐☐☐☐ ☐

exactly
/igzǽktli/

副 **正確に** (≒ precisely) 形 **exact** 正確な
▷ That's **exactly** right. まさにその通り。
▷ It's **exactly** a year since I moved here.
　ここに引っ越してきて以来ちょうど 1 年になる。

💡 要点へグザッと入り「正確に」、と覚えよう!

0038 ☐☐☐☐☐☐ ☐

export
名/éxpɔːrt/ 動/ikspɔ́ːrt/

名 **輸出 [品]** 動 **export** 輸出する 反 **import** 輸入する
▷ a gap between imports and **exports** 輸入と輸出の差

🔍 ex (外へ) + port (運ぶ) → 輸出する
🔍 im (中へ) + port (運ぶ) → 輸入する

0039 ☐☐☐☐☐☐ ☐

expression
/ikspréʃən/

名 **表現** (≒ show)、**表情** 動 **express** 表現する
▷ freedom of **expression** 言論の自由
▷ have an anxious **expression** on her face
　不安そうな表情をうかべる

🔍 ex (外へ) + press (押す) → 表現

0040 ☐☐☐☐☐☐ ☐

extension
/iksténʃən/

名 **延長、内線** 形 **extensive** 広い、大規模な
▷ apply for a visa **extension** ビザ延長を申請する
▷ an **extension** cord 延長コード

🌐 大学などの「エクステンション」講座は日本語になっている

0041 ☐☐☐☐☐☐ ☐

extreme
/ikstríːm/

形 **極端な** (≒ utmost)、**過激な** 副 **extremely** 大変、極端に
▷ take **extreme** caution 細心の注意を払う
▷ **extreme** weather 異常気象

📖 ラテン語で「最も外側にある」が語源

0042 ☐☐☐☐☐☐ ☐

forecast
/fɔ́ːrkæst/

名 **予想、予報** (≒ prediction) 動 **予測する**
▷ a weather[financial] **forecast** 天気 [財務] 予報

🔍 for (前に) 視線を cast (投げる) → 予測する

🔊 Track 007

0043 □□□□□□ □

forgive
/fərgív/

動 (罪などを) 許す (≒ excuse, let off)
▷ **forgive** and forget 水に流す
▷ **forgive** a sin 罪を許す

☞ for (すっかり) + give (与える) → 免除する

0044 □□□□□□ □

frequently
/frí:kwəntli/

副 頻繁に (≒ regularly, very often)
名 **frequency** 頻発 形 **frequent** 頻繁に起こる
▷ travel **frequently**. 頻繁に旅行する
▷ Earthquakes **frequently** occur in this region.
この地域では地震が頻繁に起きる。

🔑 フリーで食えんと「頻繁に」行けない、と覚えよう!

0045 □□□□□□ □

generation
/dʒènəréiʃən/

名 同世代の人々、一世代、(電気、ガスなどの) 発生
動 **generate** 生み出す
▷ pass down traditions from **generation** to **generation**
伝統を代々伝える

⟨外⟩ 「ジェネレーション」 ギャップなど日本語になっている

0046 □□□□□□ □

gradually
/grǽdʒuəli/

副 徐々に (≒ bit by bit) 形 **gradual** 徐々の
▷ The weather **gradually** improved. 天候は徐々に回復した。

⟨外⟩ gradation 「グラデーション」 は日本語になっている

0047 □□□□□□ □

harm
/há:rm/

名 損害 (≒ damage)、危害 動 (人、物、事を) 害する
形 **harmful** 有害な
▷ do **harm** to the environment 環境に害を与える

🔑 刃ーものを持って「危害」を加える、と覚えよう!

0048 □□□□□□ □

hesitate
/hézətèit/

動 ためらう (≒ pause) 名 **hesitation** ためらい、躊躇
▷ Don't **hesitate** to ask me. 遠慮なく尋ねてください。

🔑 恥、抵当に入れるのを「ためらう」、と覚えよう!

0049 □□□□□□ □

ignore
/ignɔ́:r/

動 無視する、怠る 名 **ignorance** 無知 形 **ignorant** 無知の
▷ **ignore** the advice[the warning] 助言 [警告] を無視する

🔑 「無視し」て行ぐのはあ、つらい! と覚えよう!

0050 □□□□□□ □

illustration
/ìləstréiʃən/

名 挿絵、実例　動 illustrate 説明 [例証] する
▷ a book with beautiful **illustrations** 美しい挿絵の入った本

(外) 日本語では「イラスト」という

0051 □□□□□□ □

imitation
/ìmətéiʃən/

名 模倣 (≒ copy)、偽物 (≒ fake)　動 imitate 模倣する
▷ **imitation** flowers[pearls] 造花 [模造真珠]

(外)「イミテーション」は日本語になっている

0052 □□□□□□ □

impression
/impréʃən/

名 印象　形 impressive 印象的な　動 impress 感銘を与える
反 expression 表現
▷ make a good first **impression** on the interviewer
　面接官に良い第一印象を与える

(語源) im (中へ) + press (押しつける) → 跡が残るように押しつける

0053 □□□□□□ □

income
/ínkʌm/

名 (定期的な) 収入　反 expenditure 支出、所得 (≒ earnings)
▷ a(n) annual[monthly] **income** 年収 [月収]
▷ high **income** jobs 高収入の職

(語源) in (中へ) + come (入る) → 入ってくるもの

0054 □□□□□□ □

independent
/indipéndənt/

形 独立した　反 dependent 頼っている、自由の
名 独立した人 (物)
名 independence 独立
▷ an **independent** organization 第三者機関

(語源) in (否) + dependent (依存して) → 他人に頼らない

0055 □□□□□□ □

indicate
/índikèit/

動 示す (≒ show)、知らせる (≒ state)
名 indication 指示、表示
▷ **indicate** a heart attack 心臓発作の兆候を示す
▷ Fever **indicates** illness. 熱は病気の徴候だ。

(暗記) **インド行け**、と「知らせる」、と覚えよう

0056 □□□□□□ □

inspiration
/ìnspəréiʃən/

名 ひらめき、霊感　動 inspire 鼓舞させる
▷ Nature is the source of **inspiration**. 自然は霊感の源だ。

(外)「インスピレーション」が湧く、など日本語になっている

🔊 Track 009

0057 □□□□□□ □

interpretation
/intə̀ːrprətéiʃən/

名 解釈、通訳 (すること) (≒ translation)
動 interpret 解釈する、説明する 名 interpreter 通訳者
▷ an interpretation of laws 法の解釈
▷ a dream interpretation 夢の解釈

🔒 ポインターをプリプリさせる「通訳」、と覚えよう！

0058 □□□□□□ □

interrupt
/ìntərʌ́pt/

動 中断する (≒ cut in)、邪魔をする (≒ break in)
名 interruption 妨害、中断
▷ interrupt a conversation 会話に割って入る
▷ Am I interrupting? ちょっといいですか。

☞ inter (〜の間) に入って rupt (破壊) する → 邪魔をする

0059 □□□□□□ □

limited
/límitid/

形 有限の 名 limitation 制限、制約
▷ limited resources 限られた資源
▷ a limited time 限られた時間

⟨外⟩ タイム「リミット」は時間制限のこと

0060 □□□□□□ □

method
/méθəd/

名 (組織的な、普及している) 方法、方式 (≒ way)
▷ adopt a new method of teaching English
新しい英語教育を採用する

⟨外⟩ 日本語では「メソッド」という

0061 □□□□□□ □

object
名/ábdʒikt/ 動/əbdʒékt/

名 物 (≒ body)、対象、目的 動 反対する、抗議する (≒ protest)
名 objective 目標、目的 名 objection 反対、異議
▷ an unidentified flying object UFO [未確認飛行物体]
▷ a foreign object in the eye 目に入った異物

⟨外⟩ 仏語読みの「オブジェ」は美術等でおなじみ

0062 □□□□□□ □

offensive
/əfénsiv/

形 無礼な、不快な 名 offense 違反、侮辱 動 offend 感情を害する
▷ offensive remarks 失礼な発言
▷ an offensive manner 無礼な態度

⟨外⟩ サッカーなどで offense (攻撃) ↔ defense (防御)

0063 □□□□□□ □

operate
/ápərèit/

動 操作する、動く (≒ work) 名 operation 操業、手術
▷ operate the machine 機械を操作する
▷ The service operates around the clock.
そのサービスは 24 時間営業です。

⟨外⟩「オペレーター」は日本語になっている

● Track 010

0064 □□□□□□ □

opposition
/ὰpəzíʃən/

名反対、対立 動oppose 反対する、対立させる
▷ opposition parties 野党
▷ face strong opposition 強い抵抗に直面する

🔑 おぉ! ポジション争いに「反対」だ、と覚えよう!

0065 □□□□□□ □

participate
/pɑːrtísəpèit/

動参加する、関与する (≒ take part, enter)
名participation 参加 名participant 参加者
▷ participate in the race[a conversation]
　レース [会話] に参加する

🔑 part (部分) を cipio (とる) → 関わる

0066 □□□□□□ □

performance
/pərfɔ́ːrməns/

名実行 (≒conduct)、業績 (≒achievement)、演技 (≒show)
動perform 遂行する
▷ his work performance 彼の仕事ぶり
▷ a performance-based pay 能力給

🔑「パフォーマンス」は日本語になっている

0067 □□□□□□ □

permission
/pərmíʃən/

名許可 (≒ approval)、承認 (≒ agreement)
動permit 許可する
▷ written permission 許可証
▷ get permission from the goverment 政府から許可を得る

🔑 per (完全に) + mit (送る) → 通過を許す

0068 □□□□□□ □

persuade
/pərswéid/

動説得させる (≒ convince) 形persuasive 説得力のある
▷ persuade him to quit smoking 彼に喫煙をやめさせる

🔑 タバコスバスバ吸えーと「説得する」、と覚えよう!

0069 □□□□□□ □

possession
/pəzéʃən/

名所有 (≒ belongings)、財産 (≒ property)
動possess 所有している
▷ possession of weapons[property] 武器 [資産] の保有

🔑「ポジション」と似ているので覚えやすい!

0070 □□□□□□ □

postpone
/pous(t)póun/

動延期する、延長する (≒ put off)
▷ postpone the meeting[party, game]
　会議 [パーティー、試合] を延期する

🔑 ポストをポーンと「延期する」、と覚えよう!

🔊 Track 011

0071 ☐☐☐☐☐☐ ☐

precious
/préʃəs/

形 貴重な (≒ valuable)、高価な
▷ **precious** memories[metals] 貴重な思い出 [貴金属]
▷ Water is a **precious** commodity. 水は貴重品だ。

☞ appreciate と同じ preci (価値) を含む+ ous (富む)
→ 価値に満ちる

0072 ☐☐☐☐☐☐ ☐

precise
/prisáis/

形 正確な (≒ accurate)、精密な 副 precisely 正確に
▷ the **precise** location 正確な位置
▷ **precise** details 正確な詳細

☞ pre (前もって) + cise (切る) → (余裕を持って) 正確な

0073 ☐☐☐☐☐☐ ☐

prediction
/pridíkʃən/

名 予言 (≒ forecast)、予測 動 predict 予言する
▷ **predictions** of economic recovery 景気回復の予測
▷ make a **prediction** 予言する

☞ pre (前もって) + dict (言う) → 予言する

0074 ☐☐☐☐☐☐ ☐

preserve
/prizə́ːrv/

動 保存する (≒ conserve)、保護する 名 保存するもの
▷ **preserve** the environment[tradition] 環境 [伝統] を保護する

⟨外⟩「プリザーブドフラワー」は日本語になっている

0075 ☐☐☐☐☐☐ ☐

pretend
/priténd/

動 ふりをする、偽る (≒ make believe)
▷ **pretend** to be dead[sick] 死んだ [病気の] ふりをする

☞ pre (前に) + tend (伸ばす) → ふりをする

0076 ☐☐☐☐☐☐ ☐

previous
/príːviəs/

形 (時間、順序が) 以前の、先の 副 previously 以前に
▷ the **previous** owners of the house この家の前の所有者
▷ have a **previous** appointment 先約がある

☞ pre (前の) + vious (道) → 以前の

0077 ☐☐☐☐☐☐ ☐

profit
/práfit/

名 利益 反 loss、得 動 利益をあげる、役に立つ (≒ benefit)
形 profitable 利益をもたらす
▷ a non-**profit** organization 非営利組織
▷ make[increase] a **profit** 利益を出す [増やす]

🔑 プロはフィットネスクラブで「利益」をあげる、と覚えよう!

🔊 Track 012

0078 □□□□□ □

protest
名/próutest/ 動/prətést/

名 抗議、反対（≒ objection）動 抗議する
▷ make an official **protest** 正式に抗議する
▷ go on a **protest** march デモ行進に参加する

☞「プロテスタント」は旧教に反抗した一派のこと

0079 □□□□□ □

provide
/prəváid/

動 供給する（≒ supply）、備える 名 provision 供給
▷ Bees **provide** us with honey. 蜂は蜂蜜を供給する。

☞ pro（前もって）+ vide（見る）→ 備える

0080 □□□□□ □

reaction
/riækʃən/

名 反応、反響 動 react 反応する
▷ a chain **reaction** 連鎖反応
▷ have an allergic **reaction** to the medicine
　その薬に対するアレルギー反応がある

㊥「リアクション」は日本語になっている

0081 □□□□□ □

recognize
/rékəgnàiz/

動 認める（≒ accept, admit）、識別する
名 recognition 承認
▷ **recognize** his defeat[the value] 敗北 [価値] を認める

☞ re（再び）+ cognize（知る）→ 認識する

0082 □□□□□ □

reflection
/riflékʃən/

名 反射、反響、内省 動 reflect 反射する
▷ stare at my **reflection** in the mirror 鏡の中の自分を見つめる
▷ the **reflection** of the light 光の反射

🔑 ひかり**フレーク**「反射」する、と覚えよう！

0083 □□□□□ □

regret
/rigrét/

動 後悔する、残念に思う 名 遺憾の意 形 regrettable 残念な
▷ deeply **regret** his decision 彼の決定を残念に思う

🔑 オレ、**グレ**ていたなと「後悔する」、と覚えよう！

0084 □□□□□ □

reject
動/ridʒékt/ 名/rídʒekt/

動 断る（≒ turn down, refuse）名 拒絶、却下
反 accept 受け入れる 名 rejection 拒否
▷ **reject** an offer 申し出を断る
▷ a **rejected** candidate 落選者

☞ re（再び、元へ）+ ject（投げる）→（投げ返して）断る

🔊 Track 013

0085 □□□□□□ □

release
/rilíːs/

動 解放する (≒ let go)、公開する (≒ launch)
名 解放、一般公開
▷ **release** information 情報を公開する
▷ **release** stress ストレスを発散する

(外) 映画などの「リリース」は日本語になっている

0086 □□□□□□ □

relief
/rilíːf/

名 (苦痛の) 軽減、安堵 動 relieve 安心させる
▷ take a pain **relief** drug 鎮痛剤をのむ
▷ **relief** goods 救援物資

(暗) リリーちゃんお布団に入って「安堵」する、と覚えよう！

0087 □□□□□□ □

replace
/ripléis/

動 取って代わる、交換する (≒ exchange)
名 replacement 交替
▷ **replace** the old TV with a new one
　　古い TV を新しいのと取り替える

(語) re (再び) + place (置く) → (もとのように置く) 交換する

0088 □□□□□□ □

representative
/rèprizéntətiv/

名 代表者 (≒ spokes person)、販売員 (≒ sales person)
形 代表の、表現する
▷ a sales **representative** 販売員
▷ the **representative** of Japan 日本代表

(暗) オレ、プレゼント立てる「代表者」なんだ、と覚えよう！

---

089 □□□□□□ □

required
/rikwáiərd/

形 必要な (≒ necessary)、必須の (≒ compulsory, needed)
動 require 〜を要する 名 requirement 必要なもの
▷ **required** subjects[reading] 必須科目 [必読書]

(暗) 陸ではワイヤーが「必要だ」、と覚えよう！

0090 □□□□□□ □

restore
/ristɔ́ːr/

動 修復する (≒ repair)、回復する
▷ **restore** his health 健康を回復する
▷ **restore** the temple 寺を修復する

(語) re (再び) + store (修理する) → 修理し元の状態に戻す、
　　美術品・データ・城・平和などを回復する

0091 □□□□□□ □

reverse
/rivə́ːrs/

動 反対にする 名 逆、裏返し 形 反対の、逆の
▷ **reverse** the order 順序を逆にする
▷ The **reverse** is also true. 逆もまた真なり。

(外) 衣服などの「リバーシブル」は裏表両用の意味で使われる

024

🔊 Track 014

0092 □□□□□□ □

selection
/səlékʃən/

名 **選抜、精選品** (≒ choice) 動 **select** 選び出す
▷ make a careful **selection** 厳選する
▷ a **selection** of cheese チーズの品揃え

外「セレクト」「セレクション」は日本語になっている

0093 □□□□□□ □

similar
/símələr/

形 **(同一ではないが) 類似した** (≒ like, alike)
名 **similarity** 類似 副 **similarly** 類似して
▷ **similar** foods at similar prices 同じような値段の同じような食品

🔑 そのセーター、カシミアに「似てる」ね、と覚えよう！

0094 □□□□□□ □

solution
/səlú:ʃən/

名 **解決策** (≒ answer)、**溶液** 動 **solve** 解決する
▷ find a peaceful **solution** 平和的解決法を見つける

☞ 問題を solu (溶かす) → 解決する

0095 □□□□□□ □

suppose
/səpóuz/

動 **思う** (≒ assume, believe)、**仮定する**
副 **supposedly** 恐らく
▷ It's **supposed** to rain tonight. 今夜雨になるらしい。

🔑 そうさ、ポーズをつけて「考える」、と覚えよう！

0096 □□□□□□ □

temptation
/temptéiʃən/

名 **衝動** (≒ desire)、**誘惑** (≒ attraction)
形 **tempting** 魅惑的な 動 **tempt** 誘惑する、仕向ける (≒ enticement)
▷ resist[fight off] the **temptation** to smoke
　タバコを吸いたい誘惑に勝つ [をしりぞける]

🔑 天ぷら定食の「誘惑」、と覚えよう！

0097 □□□□□□ □

transformation
/trænsfərméiʃən/

名 **変化** (≒ change)、**変形** 動 **transform** 変形させる
▷ make a complete **transformation** from comedian to actor
　コメディアンから俳優へ大変身した

☞ trans (変換) + form (形作る) → 変形させる

0098 □□□□□□ □

treatment
/trí:tmənt/

名 **待遇** (≒ care)、**治療** 動 **treat** 取り扱う
▷ medical[cancer] **treatment** 医療 [ガンの治療]

🔑 鶏と麺とで「おもてなし」、と覚えよう！

0099 □□□□□ □

vague
/véig/

形 **曖昧な** (≒ unclear, obscure)　副 **vaguely** 漠然と
▷ give a **vague** answer[statement] 曖昧な答え [発言] をする

🔒 「なんとなく」ベーグルが好き、と覚えよう!

0100 □□□□□ □

valuable
/vǽljuəbl/

形 **貴重な** (≒ precious)、高価な　名 (~s) 貴重品　value 価値
▷ The library is a **valuable** resource of information.
図書館は貴重な情報源だ。

☞ value (価値) + able (~を持った) → 価値を持っている

▶ **類語をまとめてチェック!**　　動詞編 ①

....

最重要 ★★★☆

□ **(gain, acquire, obtain)** knowledge 知識を得る

□ **(achieve, accomplish, fulfill, realize)** my goal 目標を達成する

□ **(realize, recognize, appreciate, identify)** the problem 問題を理解する

□ **(produce, generate, manufacture, invent)** a product 商品を生み出す

□ **(damage, harm, spoil, injure)** the relationship 関係を損なう

□ **(refuse, reject, turn down)** the proposal 提案を拒否する

□ **(improve, develop, promote, enhance)** the relationship 関係を良くする

□ **(increase, expand, extend, enlarge)** my knowledge 知識を増やす

□ **(decrease, reduce, relieve, lower)** the burden 負担を減らす

□ **(investigate, examine, inspect)** the crime scene 犯罪現場を調査する

□ **(assume, suppose, never, doubt, suspect)** that it is true それは本当だと思う

□ **(evaluate, estimate)** the cost 費用を見積もる

....

026

- □ **(exceed, transcend, surpass)** the capacity 容量を超える
- □ **(stick to, cling to, adhere to, obey, observe)** the law 法律を守る
- □ **(found, establish, set up)** a company 会社を設立する
- □ **(control, limit, restrict, restrain)** the movement 動きを抑制する
- □ **(provide, supply, offer)** food for them 彼らに食料を提供する
- □ **(abolish, cancel, do away with)** the system その制度を廃止する
- □ **(strive, struggle)** to achieve my goal 目標を達成しようと頑張る
- □ **(persuade, convince)** him to help me 助けてくれるように彼を説得する
- □ **(adjust, adapt)** to the new environment 新しい環境に順応する
- □ **(assert, maintain, mention, state, argue, claim, insist)** that it is important　それは重要であると主張する
- □ **(pollute, corrupt)** the air 空気を汚染する
- □ **(admit, recognize, acknowledge)** my mistake ミスを認める

重要 ★★★★

- □ **(conduct, perform, carry out)** the investigation 調査を実施する
- □ **(result in, lead to, contribute to)** the situation 事態を引き起こす
- □ **(praise, honor, admire, flatter)** the boss 上司をほめる
- □ **(destroy, ruin, eliminate)** the town 街を滅ぼす
- □ **(avoid, escape from)** the danger 危険を逃れる
- □ **(manage, handle, deal with)** the problem その問題を処理する
- □ **(discharge, release, give off)** gas ガスを放出する
- □ **(agree with, support, approve)** the policy その政策に賛成する
- □ **(postpone, delay, put off)** the trip 旅行を延期する
- □ **(encounter, come across, run into)** a crisis 危機に出くわす
- □ **(determine, decide on, settle)** the date 日取りを決める

🔊 Track 015

0101 □□□□□ □

adopt
/ədápt/

動 **受け入れる** (≒ accept)、**採用する** 名**adoption** 採用
▷ **adopt** a plan[child] 計画を採用する [養子にする]

☞ adapt (順応する) と間違えやすい！

0102 □□□□□ □

ambition
/æmbíʃən/

名 **大望** (≒ aim)、**野望** (≒ desire, determination)
形**ambitious** 野心のある
▷ political[career] **ambitions** 政治的 [キャリアの] 野望

☞ "Boys, be ambitious!" (少年よ大志を抱け) で有名

0103 □□□□□ □

ancestor
/ǽnsestər/

名 **先祖、祖先** 反**descendent** 子孫
▷ pay a visit to my ancestor's grave 先祖の墓参りをする
▷ ancestor worship 先祖崇拝

🔈 アンシスターは我々の「先祖」、と覚えよう！

0104 □□□□□ □

annoy
/ənɔ́i/

動 **イライラさせる** (≒ irritate)、**困らせる** (≒ bother)
形**annoying** やっかいな
▷ She was **annoyed** by the bad smell. 彼女は悪臭にいら立った。

🔈 あ、のいてよ「イライラさせる」から、と覚えよう！

0105 □□□□□ □

anticipation
/æntìsəpéiʃən/

名 **予期、予想** (≒ expectation) 動**anticipate** 期待する、予測する
▷ in **anticipation** of the worst 最悪に備えて
▷ **anticipate** the problem[danger] 問題 [危険] を予期する

🔈 あんた心配しょうがない奴だと「予想」、と覚えよう！

0106 □□□□□ □

anxiety
/æŋzáiəti/

名 **心配** (≒ worry)、**不安** 形**anxious** 不安な、心配な
▷ an **anxiety** disorder[attack] 不安障害 [発作]
▷ Bad news causes **anxiety** and fear.
悪いニュースは不安と心配をもたらす。

🔈 「不**安**」グザエティ、と覚えよう！

0107 □□□□□ □

appear
/əpíər/

動 **現れる** (≒ show up)、**~のようだ** (≒ seem)
名**appearance** 容姿
▷ He often **appears** on TV. 彼はよくテレビに出る。
▷ She **appears** to be a good person. 彼女はいい人のようだ。

🔈 あ、びゃーっと「現れる」、と覚えよう！

028

◀))) Track 016

0108 □□□□□□ □

appreciate
/əprí:ʃièit/

動 **感謝する** (≒ be grateful for)、**高く評価する** (≒ value)
名 appreciation 評価
▷ **appreciate** your advice 助言に感謝する
▷ **appreciate** the artwork その美術品を高く評価する

☞ appreciate のうしろは "やってもらったこと" が来る

0109 □□□□□□ □

approval
/əprú:vəl/

名 **承認、賛成** (≒ agreement) 動 approve 承認する
▷ win **approval** of the request 要求の承認を得る

☞ 良さを prove (証明する)、と覚えよう！

0110 □□□□□□ □

arrangement
/əréinʤmənt/

名 **配列、(~s) 準備** (≒ preparation, positioning)
動 arrange 並べる、手筈を整える
▷ a flower[room] **arrangement** 生け花 [部屋割]
▷ make **arrangements** for the party パーティの準備をする

⦅外⦆ 日本語では「アレンジ」arrange は動詞

0111 □□□□□□ □

arrest
/ərést/

動 **逮捕** (≒ capture)、**検挙** 動 **逮捕する、心不全になる**
▷ You are under **arrest**. 逮捕する。
▷ a heart **arrest** 心停止

🔟 あれ、ストすると「逮捕する」よ！ と覚えよう！

0112 □□□□□□ □

assistant
/əsístənt/

名 **補助** (≒ help)、**部下** (≒ subordinate)
名 assistance 援助 動 assist 助ける
▷ a sales **assistant** 店員
▷ an **assistant** manager 部長代理

⦅外⦆ 「アシスタント」は日本語になっている

0113 □□□□□□ □

assume
/əsú:m/

動 **想定する、引き受ける、(態度を) 取る**
名 assumption 仮定
▷ **assume** the worst 最悪の事態を想定する
▷ **assume** the role of president 大統領の役割を引き受ける

☞ a (~の方へ) + sume (とる) → 引き受ける

0114 □□□□□□ □

calculate
/kælkjulèit/

動 **計算する、予測する** (≒ estimate) 名 calculation 計算
▷ **calculate** the cost[distance] 費用を計算する [距離を測る]

🔟 軽くレートを「計算しよう」、と覚えよう！

🔊 Track 017

0115 ☐☐☐☐☐☐ ☐

character
/kǽrəktər/

名 **登場人物、特徴、性格** (≒ personality)
形 **characteristic** 特徴的な
▷ a main[movie] **character** 主人公 [映画の登場人物]
▷ He is a man of **character**. 彼は人格者だ。

(外) アニメ等の「キャラクター」には特徴がある

0116 ☐☐☐☐☐☐ ☐

collapse
/kəlǽps/

動 **崩壊する** (≒ fall apart) 名 **崩壊、倒壊**
▷ The stock market has **collapsed**. 株式市場が崩壊した。

🔑 **コラ、プス**プスと車が「崩壊する」、と覚えよう！

0117 ☐☐☐☐☐☐ ☐

commitment
/kəmítmənt/

名 **約束、責任** (≒ responsibility)、**献身** (≒ dedication)、**傾倒**
動 **commit** 罪などを犯す
▷ make a **commitment** to reform 改革を公約する
▷ admire his **commitment** to work 彼の仕事への献身をほめる

(外) 結果に「コミット」する、でおなじみ

0118 ☐☐☐☐☐☐ ☐

complaint
/kəmpléint/

名 **不満、病気** (≒ sickness)、**病状** 動 **complain** 文句を言う
▷ make a **complaint** about the service[government]
　サービス [政府] に対する不満をこぼす

(激) com (強意) + plaint (悲しむこと) → 不満

0119 ☐☐☐☐☐☐ ☐

complete
/kəmplíːt/

形 **完全な** (≒ entire, full) 動 **完成させる**
副 **completely** 完全に
▷ a **complete** victory[defeat] 完勝 [完敗]
▷ **complete** the mission 任務を完了する

(外) 日本語では「コンプする」などと略す

0120 ☐☐☐☐☐☐ ☐

compromise
/kámprəmàiz/

名 **妥協** (≒ give-and-take)、**折衷** 動 **妥協する**
▷ make a **compromise** with them 彼らと妥協する

☞ com (共に) + promise (約束する) → 妥協する

0121 ☐☐☐☐☐☐ ☐

conduct
動 /kəndʌ́kt/ 名 /kándʌkt/

動 **導く、行う** (≒ manage) 名 **行為** 名 **conductor** ガイド
▷ **conduct** a survey [business] 調査 [業務] を行う

(外) オーケストラの指揮者はコンダクター、と覚えよう！

◀)) Track 018

0122 ☐☐☐☐☐☐　☐

confused
/kənfjúːzd/

形 困惑した、乱雑な　動 confuse 混乱させる
副 confusedly ごちゃごちゃになって
▷ be confused by the question 質問にまごつく
▷ a confused look[idea] 困惑した表情、混乱した考え

🔑 混乱したヒューズは「困ります」、と覚えよう！

0123 ☐☐☐☐☐☐　☐

consider
/kənsídər/

動 検討する、熟考する、みなす（≒ think about, regard ~ as …）
名 consideration 考慮
▷ consider the offer 提案を検討する
▷ consider the project a success プロジェクトを成功とみなす

🔑 紺色のシダが作れるか「検討しよう」、と覚えよう！

0124 ☐☐☐☐☐☐　☐

consume
/kənsúːm/

動 消費する、(食物を) 摂取する
名 consumer 消費者　名 consumption 消費
▷ consume natural resources 天然資源を消費する
▷ consume foods[drinks] 食物 [飲料] を摂取する

🔑 レンコン、酢も「消費する」、と覚えよう！

0125 ☐☐☐☐☐☐　☐

convert
/kənvə́ːrt/

動 変換する、改宗する（≒ change）名 conversion 転換、改宗
▷ convert yen into dollars 円をドルに替える
▷ convert to Christianity キリスト教に改宗する

外 電化製品の「コンバータ」は日本語になっている

0126 ☐☐☐☐☐☐　☐

convince
/kənvíns/

動 確信させる、納得させる（≒ persuade）
形 convincing 信じられる　形 convinced 確信して
▷ We convinced her not to go alone.
　我々は彼女に1人で行かないように納得させた。

🔑 誰も来ん、ビン捨てるぞと「納得させる」、と覚えよう！

0127 ☐☐☐☐☐☐　☐

decline
/dikláin/

動 辞退する（≒ turn down）、(数量、質が) 低下する
　　（≒ decrease）名 減少
▷ decline the offer [invitation] 申し出 [招待] を辞退する
▷ the declining birthrate and aging society 少子高齢化

🔑 出て行くクライアント、「辞退する」、と覚えよう！

0128 ☐☐☐☐☐☐　☐

dedication
/dèdikéiʃən/

名 献身（≒ commitment）、専念　動 dedicate 献身する、打ち込む
▷ admire his dedication to work 彼の仕事への献身をほめる

☞ 神様に de (完全に) 捧げると dicate (言う) → 献身

◀》Track 019

0129 □□□□□□ □

defense
/diféns/

名 **防御** (≒ protection, guarding)、**弁護** 反 offense 攻撃
動 defend 守る、防御する
▷ the Self-**Defense** Forces 自衛隊
▷ a **defense** attorney 被告側弁護士

🔑 デカフェンスを立てて「防御」しよう、と覚えよう!

0130 □□□□□□ □

definition
/dèfəníʃən/

名 (語句の) **定義**、(画像の) **精細度** 動 define 定義する
▷ a dictionary[legal] **definition** 辞書 [法律] の定義
▷ a high-**definition** television 高解像度テレビ

🐝 de (強意) + fine (境をつける) → 定義

0131 □□□□□□ □

demonstrate
/démənstrèit/

動 **証 [説] 明する、デモをする** 名 demonstration 実証
▷ **demonstrate** his theory 彼の理論を証明する

🈂 「デモンストレーション」は日本語になっている

0132 □□□□□□ □

destination
/dèstənéiʃən/

名 **目的地** (≒ finish, goal)、**(荷物などの) 送付先**
▷ a travel **destination** 旅行先

🐝 到達する destiny (運命) にある場所 → 目的地

0133 □□□□□□ □

destroy
/distrɔ́i/

動 **(完全に) 破壊する** 反 build, construct、**滅ぼす**
▷ The fire **destroyed** the house. 火災は家を倒壊した。
▷ **destroy** his confidence[hope] 彼の自信 [希望] を打ちくだく

🔑 そうです、**トロイ**の木馬は「破壊」すべし、と覚えよう!

0134 □□□□□□ □

determine
/ditɔ́:rmin/

動 **決定する** (≒ fix)、**決心する** (≒ decide)
形 determined 決定した 名 determination 決心
▷ **determine** the date for the party パーティの日程を決める
▷ **determine** to succeed 成功すると決意をする

🔑 出た一! ミント味に「決定しよう」、と覚えよう!

0135 □□□□□□ □

direct
/dərékt/

形 **一直線の** (≒ straight)、**直接の** 動 **指示する**
名 direction 指導、道順 副 directly 直接的な
▷ a **direct** call[flight] 直通電話 [直行便]
▷ my **direct** subordinate 直属の部下

🈂 「ダイレクト」は日本語になっている

● Track 020

0136 □□□□□□　□
discover
/diskʌ́vər/

動 **発見する、知る** (≒ find out) 名 discovery 発見
▷ **discover** a new star[way of life] 新星 [新しい生き方] を発見する

☞ dis (除く) + cover (覆い) → 発見する

0137 □□□□□□　□
display
/displéi/

名 **表示** (≒ show)、**展示** (≒ exhibition) 動 **表す、陳列する**
▷ hold a fireworks **display** 花火大会を開催する
▷ a **display** of flowers 花の展示

⟨外⟩「ディスプレイ」は日本語になっている
☞ 日本語のディスプレイとアクセントが違うので注意

0138 □□□□□□　□
employment
/implɔ́imənt/

名 **雇用** (≒ hire)
動 employ 雇用する 名 employee 被雇用者 employer 雇用者
▷ lifetime[part-time] **employment** 終身 [パートタイム] 雇用

🔒 **エブロンメン** (男) を「雇用」する、と覚えよう!

0139 □□□□□□　□
empty
/ém(p)ti/

形 **空の** (≒ blank) 反 full いっぱいの 動 **(中を) 空にする**
▷ an **empty** bottle[room] 空のボトル、空き部屋
▷ **empty** the dust bin ゴミ箱を空にする

🔒 遊園 (**プ**) 地は「空っぽ」だった、と覚えよう!

0140 □□□□□□　□
evidence
/évədəns/

名 **証拠** (≒ grounds)、**兆候** evident 明白な
▷ There is no scientific **evidence**. 科学的な根拠がない

⟨外⟩「エビデンス」は日本語になっている
☞ proof (証明) が集まると evidence (証拠) になる

0141 □□□□□□　□
exaggeration
/igzædʒəréiʃən/

名 **誇張、大げさな表現** 動 exaggerate 誇張する
▷ without **exaggeration** 誇張なしに

🔒 **いくんじゃ**冷笑されても「誇張」する、と覚えよう!

0142 □□□□□□　□
executive
/igzékjətiv/

名 **幹部、重役** (≒ director) 形 **重役向けの**
▷ an **executive** meeting 重役会議
▷ an **executive** board 重役会

🔒 ホテルの「エグゼクティブフロア」は有名

033

◀》Track 021

0143 □□□□□□ □

expand
/ikspǽnd/

動 **拡大する** (≒ increase in size) 名 **expansion** 拡大、拡張
▷ **expand** the business ビジネスを拡大する
▷ **expand** the building 建物を拡張する

💡 外に (**ex**) バーンっと「広がる」、と覚えよう！

0144 □□□□□□ □

experiment
名/ikspérəmənt/
動/ikspérəmènt/

名 **実験** 動 **実験する、試す** 形 **experimental** 実験の
▷ conduct[perform] an **experiment** 実験を行う
▷ animal[scientific] **experiments** 動物 [科学] 実験

💡 T レックスにペリペリ麺食べさせ「実験」する、と覚えよう！

0145 □□□□□□ □

explain
/ikspléin/

動 **説明する** (≒ clarify, describe) 名 **explanation** 説明
▷ **explain** the risk[situation] リスク [状況] を説明する

☞ ex (完全に) + plain (平ら) にする → 説明

0146 □□□□□□ □

explore
/ikspló:r/

動 **探検する、調査する** 名 **exploration** 探検、調査
▷ **explore** a new field 新天地を探検する
▷ **explore** the possibility of cooperation 協力の可能性を検討する

〈外〉 インターネット「エクスプローラー」でおなじみ

0147 □□□□□□ □

expose
/ikspóuz/

動 **(雨、危険などに) さらす** (≒ leave open, show)
名 **exposure** 露出
▷ **expose** my skin to the sun 肌を太陽にさらす
▷ **expose** the company to criticism その会社を批判にさらす

☞ ex (外に) + pose (おく) → さらす

0148 □□□□□□ □

fasten
/fǽsn/

動 **(しっかりと) 固定する** (≒ lock, fix) 名 **fastener** 留め具
▷ **Fasten** your seatbelt. シートベルトを締めてください。

☞ fast (しっかり) + en (する) → 固定する

0149 □□□□□□ □

figure
/fígjər/

名 **姿、数字** (≒ number) 動 **計算する** (≒ calculate)
▷ He is good at **figures**. 彼は計算が得意だ。
▷ leading political **figures** 主要政治家

☞ アニメのフィギュアだけではなく、いろいろな「形」を表す

◀️)) Track 022

0150 □□□□□□ □

flexible
/fléksəbl/

形 (物、人柄、変化に) しなやかな 名flexibility柔軟性
▷ a **flexible** schedule 融通のきくスケジュール
▷ a **flexible** rubber ball 柔軟なゴムボール

(外) 会社等の「フレックス」タイム制は日本語になっている

0151 □□□□□□ □

guarantee
/gæ̀rəntíː/

動 **保証する** (≒ assure) 名 **保証** 名guarantor保証人
▷ Preparation will **guarantee** success. 準備は成功を保証する。
▷ Laws **guarantee** equal rights to all people.
　 法律はすべての人々に平等な権利を保障する。

☞ アクセントが後ろにあるので気をつけて
(外) 出演料の「ギャラ」はギャランティーの略

0152 □□□□□□ □

illusion
/ilúːʒən/

名 **錯覚** (≒ trick)、**幻想** (≒ fancy, fantasy)
▷ have the **illusion** that the earth is flat 地球が平らだと錯覚する

(外) 手品等の「イリュージョン」は幻想的、と覚えよう！

0153 □□□□□□ □

immediately
/imíːdiətli/

副 **ただちに** (≒ right away) 形immediate即時の
▷ The ambulance arrived **immediately**. 救急車は即座に到着した。

☞ im (否) + mediate (仲介) 物無しに → 即座に
☞ right away は緊急を要するという意味を含む

0154 □□□□□□ □

industry
/índəstri/

名 **産業、事業** 形industrial産業の、工業の
▷ the service [tourist] **industry** サービス [観光] 産業
▷ declining **industries** 斜陽産業

🔛 社員が出す鶏肉「産業」、と覚えよう！

0155 □□□□□□ □

instruction
/instrʌ́kʃən/

名 **指示** (≒ direction)、**指示書** 動instruct指示する
▷ Refer to the **instructions** manual. 取説をお読みください。
▷ follow the teacher's **instructions** 先生の指示に従う

(外) 指導者「インストラクター」は日本語になっている

0156 □□□□□□ □

intention
/inténʃən/

名 **意図** (≒ purpose)、**意志** 副intentionally意図的に
▷ I have no **intention** to sell my house. 家を売るつもりはない。

🔛 「意ん図」えんしょん、と覚えよう！

🔊 Track 023

0157 ☐☐☐☐☐☐ ☐

involve
/inválv/

動 (事件などに) 巻き込む、関係する 名 involvement 参加
▷ I got **involved** in the trouble. トラブルに巻き込まれた。
▷ I was **involved** in the project. プロジェクトに関わっていた。

☞ in (中へ) 入れて volve (回転) させる → 巻き込む

0158 ☐☐☐☐☐☐ ☐

jealous
/dʒéləs/

形 嫉妬して (≒ envious) 名 jealousy 嫉妬、ねたみ
▷ a **jealous** husband[wife] 嫉妬深い夫 [妻]
▷ be **jealous** of his success 彼の成功をねたむ

〈外〉「ジェラシー」は日本語になっている

0159 ☐☐☐☐☐☐ ☐

measure
/méʒər/

名 寸法 (≒ scale)、対策 (≒ action)
動 (寸法などを) 測定する
▷ take strong **measures** against terrorism
　テロに対して強硬な対策をとる

🔾 メジャーで「寸法」をはかる、と覚えよう!

0160 ☐☐☐☐☐☐ ☐

mixture
/míkstʃər/

名 混合物 (≒ blend)、混じり合い
▷ Air is a **mixture** of gases. 空気は気体の混合物だ。

🔾 ミックス茶はいろいろ「混じ」ってる、と覚えよう!

0161 ☐☐☐☐☐☐ ☐

motion
/móuʃən/

名 動き、身振り、動議、提案 (≒ move, movement)
▷ the **motion** of the planets 惑星の動き
▷ propose[apporove] a **motion** 動議を提出 [承認] する

〈外〉スロー「モーション」など日本語になっている

0162 ☐☐☐☐☐☐ ☐

neat
/níːt/

形 きちんとしている (≒ tidy) 副 neatly こぎれいに
▷ **neat** and tidy きれいに整理されて

☞ いわゆるニートは Not in Employment, Education or
　Training の頭文字 (NEET) である

0163 ☐☐☐☐☐☐ ☐

negotiate
/nigóuʃièit/

動 交渉する (≒ bargain, arrange)、取り決める、うまく切り
抜ける 名 negotiation 交渉
▷ **negotiate** the price[deal] 値段 [取引] の交渉をする
▷ **negotiate** a corner[curb] コーナー [カーブ] をうまく切り抜ける

☞ 休憩 ate (させる) oti (ひま) + neg (無) → 交渉する

036

◆ Track 024

0164 □□□□□□ □
notice
/nóutis/

名 注目、通知 (≒ announcement) 動 気付く
形 noticeable 人目をひく
▷ notice a change 変化に気づく
▷ without notice 予告なしに

㊞ note (注目) させるものより。五感で気付く系

0165 □□□□□□ □
observe
/əbzə́ːrv/

動 観察する (≒ watch)、遵守する 名 observation 観察
▷ observe the rule[law] 規則 [法律] を守る
▷ observe the stars 星を観測する

㊟ 「オブザーバー」(観測者、傍聴者) でおなじみ

0166 □□□□□□ □
obtain
/əbtéin/

動 (容易には入手できないものを) 獲得する (≒ acquire)
▷ obtain information[permission] 情報 [許可] を得る

㊐ 子供をおぶってインコを「獲得」、と覚えよう!

0167 □□□□□□ □
occupy
/ákjupài/

動 (時間、場所を) 占有する (≒ take up)、使用する
▷ All the seats were occupied. 全席埋まっていた。
▷ occupy the region 地域を占領する

㊫ 飛行機のトイレなどの表示で "occupied (使用中)" と書かれているのに注目!

0168 □□□□□□ □
organize
/ɔ́ːrgənàiz/

動 組織する、主催する 名 organization 組織
▷ organize a party[meeting] パーティー [ミーティング] を開催する

㊟ 「オーガナイザー」は組織のまとめ役のこと

0169 □□□□□□ □
physical
/fízikəl/

形 身体の 反 mental 心の 副 physically 身体的に
▷ physical strength[exercise] 体力 [運動]

㊫ 体育は physical education(PE) と言う

0170 □□□□□□ □
praise
/préiz/

動 褒める (≒ admire)、たたえる 名 賞賛、賛美
▷ praise the group for its effort その団体の取り組みをたたえる

㊫ 類語の admire は憧れ、praise は一般的

● Track 025

0171 □□□□□□ □

progress
名/prágres/ 動/prəgrés/

名 **前進** (≒ advancement)、**進歩** (≒ improvement)
動 **前進する** 形 **progressive** 進歩的な
▷ make great **progress** in English 英語でめざましい上達をする

☞ pro (前に) + gress (進む) → 前進

0172 □□□□□□ □

property
/prápərti/

名 **(有形、無形) 財産、資産**
▷ a man of **property** 資産家
▷ private[public] **property** 私有 [共有] 財産

🔈 プロのパーティー、「資産」家が集う、と覚えよう!

0173 □□□□□□ □

propose
/prəpóuz/

動 **提案する** (≒ suggest)、**結婚を申し込む**
名 **proposal** 提案書
▷ **propose** the plan [idea] 企画 [考え] を提案する
▷ **propose** to her 彼女にプロポーズする

🌐 「プロポーズ」は日本語になっている

0174 □□□□□□ □

refer
/rifə́:r/

動 **言及する** (≒ mention)、**参照する** 名 **reference** 引用
▷ Please **refer** to the map[our catalog].
地図 [当社のカタログ] を参照してください。

🌐 「レファレンスブック」は参考図書のこと

0175 □□□□□□ □

relationship
/riléiʃ(ə)nʃip/

名 **交流関係、つながり** (≒ relation)
▷ have a good **relationship** with my friend
友達と良い関係を持つ
▷ a family **relationship** 家族 [親族] との関係

🔈 リレーしよーん、みんなで「交流」、と覚えよう!

0176 □□□□□□ □

resemble
/rizémbl/

動 **(外見が) 似ている** (≒ look alike, be similar to)
名 **resemblance** 類似点
▷ She **resembles** her mother. 彼女は母親に似ている。

🔈 マリ、全部ルリに「似てる」わね、と覚えよう!

0177 □□□□□□ □

reserved
/rizə́:rvd/

形 **予備の、予約済みの** (≒ booked)、
控えめな (≒ shy, modest)
動 **reserve** 予約する、備える 名 **reservation** 留保・予約
▷ **reserved** seats[tickets] 予約席 [券]

🌐 レストランなどを「リザーブ」するは日本語になっている

◀))) Track 026

0178 □□□□□□ □

resistance
/rizíst(ə)ns/

名**抵抗**（≒ opposition）、**耐性**（≒ tolerate）
動**resist** 抵抗する、反抗する
▷ water[fire] **resistance** 耐水 [耐火] 性

〈外〉理科で習う電気抵抗 "R" はレジスタンスのこと

0179 □□□□□□ □

respect
/rispékt/

名**尊敬**（≒ admiration, esteem）、**尊重** 動**敬う**
形**respectful** 丁寧な
▷ have mutual **respect** 相互に尊敬の念を抱く

〈外〉相手を「リスペクト」するは日本語になっている

0180 □□□□□□ □

response
/rispáns/

名**返答**（≒ answer）、**反応**（≒ reaction） 動**respond** 返答する
▷ give a quick **response** to customers 顧客に即応する

〈外〉「レスポンス」は日本語になっている

0181 □□□□□□ □

responsible
/rispánsəbl/

形**責任がある [を負う]**（≒ in charge of）
名**responsibility** 責務
▷ be **responsible** for the accident 事故の責任を負う
▷ **responsible** behavior [journalism] 責任ある行動 [報道]

🔓 response（応答する）ことができる、と覚えよう！

0182 □□□□□□ □

retirement
/ritáiərmənt/

名**退職、引退** 動**retire** 退く、引退する
▷ reach the **retirement** age 定年に達する

〈外〉会社を「リタイヤ」するなど日本語になっている

0183 □□□□□□ □

reveal
/rivíːl/

動**明らかにする**（≒ bring out, discover） 動**暴露**
▷ **reveal** the secret[cause] 秘密 [原因] を明かす

☞ re（反）+ veal（ベール）でベールを外す → 明らかにする

0184 □□□□□□ □

revise
/riváiz/

動**(原稿などを) 改訂する**（≒ correct）、**(意見・計画などを) 変える**（≒ change） 名**revision** 改正、修正
▷ **revise** the plan[opinion] 計画 [意見] を改定する
▷ a **revised** edition[estimate of costs] 改訂版 [費用の見積もり]

☞ re（再び）+ vis（見る）→ 改定する

Track 027

0185 □□□□□□ □

revolve
/riválv/

動 **回転する** (≒ go around) 形 **回転する（装置の）**
▷ The moon **revolves** around the earth. 月が地球の周りを回転する。
▷ a **revolving** door 回転ドア

re（繰り返し）+ volve（回転）する → 回転する

0186 □□□□□□ □

rhythm
/ríðm/

名 **リズム** (≒ meter)、**規則的な反復** (≒ pattern)
形 **rhythmic** リズミカルな
▷ the **rhythm** of music[daily life] 音楽［生活］のリズム

「リズム」の綴りに注意！

0187 □□□□□□ □

severe
/səvíər/

形 **（人、状況が）厳しい** (≒ hard)、**深刻な** (≒ serious)
副 **severely** 厳しく
▷ suffer from **severe** injuries[illnesses] 深刻なケガ［病気］に苦しむ
▷ cause **severe** damage[problems] 深刻な被害［問題］を引き起こす

外 日本語では「シビア」という

0188 □□□□□□ □

strict
/stríkt/

形 **（規律などに）厳格な** (≒ exact) 副 **strictly** 厳格に
▷ My father was very **strict** with me. 父は私に厳しかった。
▷ **strict** regulations[orders] 厳格な規則［命令］

ストイックなリクト君は「厳しい」よ、と覚えよう！

0189 □□□□□□ □

substitute
/sʌ́bstət(j)ùːt/

名 **代理、代用（品）** (≒ replacement) 動 **置換する**
▷ a **substitute** teacher 代理の教師
▷ a **substitute** for sugar 砂糖の代用品

sub（下に）+ stitute（立てる）→ 代理

0190 □□□□□□ □

supply
/səplái/

名 **（必要なものの）供給** 反 **demand** 需要、
（生活）必需品 (≒ stock) 動 **供給する**
▷ emergency[medical] **supplies** 緊急援助［医療］物資
▷ **supply** refugees with food 難民に食料を供給する

栄養補助食品サプリ（supplement）は名詞形

0191 □□□□□□ □

suspicious
/səspíʃəs/

形 **怪しい** (≒ fishy)、**疑い深い** (≒ doubtful)
名 **suspicion** 疑い、容疑
▷ be **suspicious** of his behavior 彼の振舞いを怪しむ
▷ a **suspicious** character[death] 不審な人物［死］

指（**さ**）**すピ**（ティ）**ーシャツ**男が「怪しい」ぞ

0192 ☐☐☐☐☐ ☐

temporary

/témpərèri/

形 **一時的な、臨時の** 副temporarily 仮に、一時
▷ a **temporary** worker[job] 臨時の職員 [仕事]

🔒 天ぷらラリーは「一時的」な行事だよ、と覚えよう！

0193 ☐☐☐☐☐ ☐

tend

/ténd/

動 **~する傾向がある** (≒ be likely to) 名tendency 傾向、風潮
▷ He **tends** to be nervous just before the test.
彼はテスト直前によく緊張する。

🔒 彼は天丼を食べる「傾向がある」な、と覚えよう！

0194 ☐☐☐☐☐ ☐

theory

/θíːəri/

名 **学説** (≒ thesis)、**理論** 形theoretical 理論 [的] な、理論上の
▷ Darwin's **Theory** of Evolution ダーウィンの進化論

🌐 日本語では「セオリー」という

0195 ☐☐☐☐☐ ☐

thrill

/θríl/

動 **ぞくぞくさせる** (≒ excite)
名 **ぞくぞくすること** (≒ sensation)
▷ His performance **thrilled** the entire audience.
彼の演技に全観客が沸いた。

🌐 「スリル」の綴りに注意！

0196 ☐☐☐☐☐ ☐

tolerate

/tálərèit/

動 **許容する** (≒ allow)、**大目に見る** 名toleration 寛容
▷ Smoking won't be **tolerated** in the hospital.
病院内は禁煙です。

🔒 取られても「大目に見る」、と覚えよう！
☞ stand はガマンする

0197 ☐☐☐☐☐ ☐

transfer

動/trænsfə́ːr/ 名/trǽnsfəːr/

動 **移動させる** (≒ move)、**転任させる** (≒ relocate)
名 **移転、転校**
▷ **transfer** money to my bank account 銀行口座にお金を移す

🔒 虎、タンスにファー入れて「移動」する、と覚えよう！

0198 ☐☐☐☐☐ ☐

urgent

/ə́ːrdʒənt/

形 **緊急の** (≒ immediate)、**切迫した**
動urge 急き立てる、強く迫る 名urgency 緊急性、切迫
▷ be in **urgent** need of treatment 緊急治療を必要とする
▷ an **urgent** problem[call] 緊急の問題 [電話]

🔒 あー、じれってぃ！「緊急」なんだよ！、と覚えよう。

0199 □□□□□ □	形 (建物、部屋などが) 空いている (≒ empty)
vacant /véikənt/	名 **vacancy** 空いた [ている] ところ
	▷ a **vacant** seat[room] 空席 [室]
	☞ 仕事が空くのはヴァカンス (フランス語)

0200 □□□□□ □	形 目に見える 反 invisible、明らかな (≒ obvious)
visible /vízəbl/	副 **visibly** 目に見えて
	▷ The moon is **visible** from the earth. 月は地球から見える。
	▷ a **visible** improvement in his work 目に見える彼の仕事の改善
	☞ vis (見る) ことができる → 明らかな

類語をまとめてチェック！ 動詞編 ②

最重要 ★★★★

□ **(demand, require, claim, request)** the money そのお金を要求する

□ **(revise, modify, alter, convert)** the law 法律を改正する

□ **(prevent, disturb, block, interrupt)** the plan 計画を阻む

□ **(contain, include, cover, involve)** the damage 損傷を含む

□ **(protect, preserve, conserve, defend)** nature 自然を守る

□ **(encourage, promote, support, enhance)** the development 発展を助長する

□ **(cure, heal, treat, restore)** the wound 傷を治療する

□ be **(surprised, amazed, astonished)** by his action 彼の行為に驚く

□ **(expose, reveal, disclose)** the crime 犯罪を暴露する

□ **(predict, forecast, anticipate)** the future 将来を予測する)

□ **(ban, prohibit)** smoking in public places 公共の場所での喫煙を禁止する

□ **(notice, perceive, detect, recognize, identify)** the difference 違いに気づく

□ (reserve, book, arrange for, make a reservation for) a table
テーブルを予約する

□ (launch, start, commence) a campaign キャンペーンを始める

□ be (impressed, moved, touched) by her courage 彼女の勇気に感動する

□ (overcome, get over, recover from) the shock ショックを乗り越える

□ be (blamed for, accused of, charged with) the crime 犯罪の罪に問われる

重要 ★★★★

□ (imply, suggest) the presence その存在をほのめかす

□ (advance, promote, advocate) gender equality 男女平等を促進する

□ (express, convey, communicate, pronounce) my feelings
気持ちを言い伝える

□ (respond, react, reply) to the question 質問に答える

□ (consider, regard, look upon) the issue as important その問題を重要と見なす

□ (depend[be dependent], rely[be reliant], count) on the government
政府に依存する

□ (be located[situated], exist) in urban areas 都会にある

□ (disappear, vanish) from the town 町から消える

□ (utilize, employ, take advantage of) advanced technologies
先端技術を用いる

□ (deprive, rob) them of job opportunities 彼らから仕事の機会を奪う

□ (submit, turn in, hand in) a report レポートを提出する

□ (seek, search[look, hunt] for, in the pursuit of) a new job
新しい仕事を探し求める

□ (suit, fit, match) the color その色に合う

🔊 Track 029

0201 ☐☐☐☐☐ ☐

abrupt
/əbrʌ́pt/

形**突然の** (≒ sudden)、無骨な 副abruptly突然
▷ an **abrupt** change[end] of plan 計画の急な変更 [終了]

🔒 油、ぶ (ぼ) とぼと「突然」引火、と覚えよう!

0202 ☐☐☐☐☐ ☐

absorb
/æbzɔ́ːrb/

動**吸収する** (≒ take up)、**(音、衝撃などを) やわらげる**
動be absorbed in~ ~に夢中である
▷ **absorb** water[heat, the culture] 水分 [熱、文化] を吸収する

🔒 あー、物騒物騒と武器を「吸収」、と覚えよう!

0203 ☐☐☐☐☐ ☐

accomplish
/əkámpliʃ/

動**達成する、完成する** 名accomplishment完成
▷ **accomplish** the goal[the task] 目的 [務め] を果たす

㊙ complete (完全な) が含まれる語

0204 ☐☐☐☐☐ ☐

acquire
/əkwáiər/

動**習得する** (≒ obtain) 名acquisition習得、買収
▷ **acquire** the company 企業を買収する
▷ **acquire** new skills 新しい技能を習得する

🔒 あぁ、くわえてどんどん「手に入れる」、と覚えよう!

0205 ☐☐☐☐☐ ☐

add
/æd/

動**加える、合計する** (≒ attach, total)
形additional追加の 名addition追加
▷ **add** text to an image 画像にテキストを入れる

🔒 あ、どれでもいいから「加え」てね、と覚えよう!

0206 ☐☐☐☐☐ ☐

admission
/ædmíʃən/

名**入場 [料]、認めること** 動admit認める
▷ free **admissions** 入場無料
▷ **admission** fees 入場料

🔒 あと (ド)、密書で「入場」OK! と覚えよう!

0207 ☐☐☐☐☐ ☐

advertise
/ǽdvərtàiz/

動**宣伝する、告知する** (≒ publicize, promote)
名advertisement広告
▷ **advertise** the product on TV 製品をテレビで宣伝する

☞ アドバルーンは ad(advertise) する balloon
advertise は英国式、advertize は米国式つづり

🔊 Track 030

0208 ☐☐☐☐☐☐ ☐

agree
/əgríː/

動 賛成する、一致する、認める（≒ say yes to）
名 agreement 賛成　反 disagree 同意しない
▷ agree with your opinion 意見に賛成する

🔒 あ、グリークラブに入会「賛成」、と覚えよう！
☞ a（〜の方に）＋ gree（喜び）→（満足し）合意に達する

0209 ☐☐☐☐☐☐ ☐

amazing
/əméiziŋ/

形（良い意味で）驚くべき、見事な（≒ wonderful）
動 amaze 驚嘆させる　動 be amazed at 〜 〜に驚嘆する
▷ an amazing success[discovery, singer]
　驚異の成功［発見、歌手］

🔒 あ、名人、ぐるりと「見事な」身のこなし、と覚えよう！

0210 ☐☐☐☐☐☐ ☐

ancient
/éinʃənt/

形 古代の、昔からの（≒ primitive, very old）
▷ ancient civilizations[ruins] 古代文明［遺跡］

🔒 えい、しゃんとしろ「古代人」、と覚えよう！

0211 ☐☐☐☐☐☐ ☐

appetite
/ǽpətàit/

名 食欲、強い欲望（≒ desire）名 appetizer 前菜
▷ have an enormous appetite 食欲が旺盛である
▷ a loss of appetite 食欲不振

🔒 あ、ビターピターと舌をならして「食欲」旺盛、と覚えよう！

0212 ☐☐☐☐☐☐ ☐

apply
/əplái/

動 適用する［される］、あてはまる、申し込む（≒ request）
名 application 適用、申請
▷ apply for a job 仕事に申し込む
▷ apply the rule to us その規則を我々に適用する

🈯 アプリとは application のこと

0213 ☐☐☐☐☐☐ ☐

appointment
/əpɔ́intmənt/

名 予約、任命、設備（≒ arrangement, engagement）
動 appoint 指名する
▷ make a dentist appointment 歯科を予約する
▷ take up an appointment as mayor 市長として就任する

☞ point（指し）て指名すること

0214 ☐☐☐☐☐☐ ☐

approach
/əpróutʃ/

名 接近、方法（≒ method）動 接近する
▷ take a different approach to the problem[the patient]
　問題［患者］への異なる取り組みをする

🔒 あ、プロを地球に「接近」させよ、と覚えよう！

0215 □□□□□□ □

award
/əwɔ́:rd/

動 (賞などを) 与える (≒ present, prize) 名 賞
▷ **award** the prize to the winner 勝者に賞を与える
▷ receive the Academy **Award** アカデミー賞を受け取る

🔑 必ずや**会おう**ど、「授賞」式で、と覚えよう!

0216 □□□□□□ □

behavior
/bihéivjər/

名 行動、態度 (≒ conduct) 動 behave 振る舞う
▷ the study of animal **behavior** 動物行動学

🔑 **ビー屁ぇブー**と下品な振る舞い、と覚えよう!

0217 □□□□□□ □

broadcast
/brɔ́:dkæst/

動 放送する、広める 名 放送 形 放送された
▷ **broadcast** a program 番組を放送する
▷ a radio **broadcast** ラジオ放送

☞ broad (広く) + cast (投げる) → 広める

0218 □□□□□□ □

burden
/bə́:rdn/

名 重荷 (≒ responsibility) 動 重い負担 [責任] を負わせる
▷ put a **burden** on taxpayers 納税者に重税を課す

🈁 bur は運ぶこと、子供を産むこと、birthday もその派生語

0219 □□□□□□ □

candidate
/kǽndidèit/

名 候補者、(調査などの) 対象 (≒ applicant)
▷ a presidential **candidate** 大統領候補者
▷ **candidates** for the job 仕事の採用候補者

🔑 **キャンディ** (と) **デート**しているよ「候補者」が、と覚えよう!

0220 □□□□□□ □

celebrate
/séləbrèit/

動 祝う、(祭典などを) 挙行する (≒ praise)
名 celebration 祝祭 形 celebrated 名高い
▷ **celebrate** the New Year[the anniversary] 新年 [記念日] を祝う

🈁 セレブレーションとは「祝賀」のこと

0221 □□□□□□ □

climate
/kláimət/

名 気候 (≒ weather)、(ある地域、時代の) 風潮
▷ a rapid **climate** change 急激な気候変動
▷ a damp[cool] **climate** じめじめした [冷涼な] 気候

🔑 **暗い身**となる寒い「気候」、と覚えよう!

🔊 Track 032

0222 □□□□□ □

composer
/kəmpóuzər/

名 **作曲家、作成者** 動 compose 構成する
▷ a famous music **composer** 有名な作曲家

☞ com（一緒に）+ pose（置く）→ 組み立てる

0223 □□□□□ □

concept
/kánsept/

名 **概念、構想**（≒ idea, notion）動 **考え出す**
▷ a basic[an abstract] **concept** 基本［抽象］概念

(外) コンセプトは「構想」のこと
☞ 構想を表現した試作車の事をコンセプトカーという

0224 □□□□□ □

condition
/kəndíʃən/

名 **状態、条件**（≒ situation, state）動 **調整する**
形 conditional 条件付きの
▷ in good **condition** 良い状態で
▷ working **conditions** 労働条件

(外) コンディションは環境や自分の「状態、調子」のこと

0225 □□□□□ □

conference
/kánf(ə)rəns/

名 **会議、相談**（≒ meeting, convention）
▷ a large **conference** room 大会議室
▷ a **conference** on global warming 地球温暖化に関する会議

(外) カンファレンスとは「会議」のこと

0226 □□□□□ □

confirm
/kənfə́:rm/

動 **確認する、（決意を）固める** 名 confirmation 承認
▷ **confirm** the identity[the schedule, the flight information]
本人［スケジュール、フライト情報］を確認する

☞ con（完全に）+ firm（固い）→ 強固にする

0227 □□□□□ □

conscious
/kánʃəs/

形 **意識のある、意図的な** 副 consciously 故意に
名 consciousness 意識 反 unconscious 無意識の
▷ the **conscious** mind 顕在意識
▷ health-**conscious** 健康志向の

☞ con（完全に）+ sci（知っている）+ ous → 意図的な
(外) バブル期のボディコンとは体のラインを「意識した」服のこと

0228 □□□□□ □

contact
/kántækt/

動 **連絡する、接する**（≒ touch）名 **接触**
▷ **contact** a doctor 医師に連絡する
▷ come into **contact** with nature 自然と触れ合う

(外) コンタクトレンズは角膜に「接触」させて使うレンズ

◀)) Track 033

0229 □□□□□□ □

contract
名/kάntrækt/ 動/kəntrǽkt/

名 **契約** (≒ agreement) 動 **契約する、患う**
▷ sign the **contract** 契約にサインする
▷ **contract** a disease 病気を患う

☞ con (共に) + tract (引き合う) → 契約する

0230 □□□□□□ □

credit
/krédit/

名 **信頼、信用貸し** (≒ trust) 動 **信用する**
▷ give **credit** to others 他人を信頼する
▷ drink on **credit** ツケで飲む

〈外〉クレジットカードは「信頼」の証！

0231 □□□□□□ □

cure
/kjúər/

動 **治る、治療する** (≒ heal) 名 **治療、解決策**
▷ **cure** him of his illness 彼の病を治療する

🔟 代休は取らずに「治療し」た、と覚えよう！

0232 □□□□□□ □

decrease
動/dìːkríːs/ 名/díkriːs/

動 **減少する [させる]** (≒ reduce, decline) 名 **減少**
反 **increase** 増加する [させる]
▷ **decrease** the number[the size] of ~ ～の数 [サイズ] を減らす

☞ de (下へ) + crease (増える) → 減少する

0233 □□□□□□ □

delay
/diléi/

動 **遅らせる、ゆっくり進む** (≒ postpone) 名 **遅延**
▷ **delay** the timing of payments 支払いの時期を遅らせる

🔟 でれでれしてたら「遅れる」ぞ！ と覚えよう！

0234 □□□□□□ □

deserve
/dizə́ːrv/

動 **(賞、報いなどに) ふさわしい、価値がある**
　　(≒ be worth, be worthy of)
▷ **deserve** credit[punishment, death] 信用 [罪、死] に値する

🔟 金メダルの「価値ある」泳ぎで**ざーぶん**とゴール、と覚えよう！

0235 □□□□□□ □

detective
/ditéktiv/

名 **探偵** (≒ spy) 形 **探知用の** 動 **detect** 見抜く
▷ a **detective** agency[novel] 探偵社 [小説]

☞ de (除く) + tect (覆い) → 覆いを除く (見抜く)

◀) Track 034

0236　□□□□□□　□

devotion
/divóuʃən/

名 没頭、無私の愛 (≒ dedication) 動 devote ささげる
▷ his **devotion** to work[science] 仕事 [科学] への没頭

🎩「没頭」しすぎで帽子をなくした、と覚えよう!

0237　□□□□□□　□

discipline
/dísəplin/

動 しつける、鍛える (≒ educate) 名 規律、鍛錬
▷ **discipline** the children 子供をしつける
▷ **discipline** yourself 自制する

🎩 弟子ぶりぶり怒って「訓練する」、と覚えよう!

0238　□□□□□□　□

discount
/dískaunt/

名 値引き 動 値引きする、軽視する 形 割引の
▷ **discount** fares[rates] 割引運賃 [率]
▷ get a 10% **discount** off the list price 定価から一割引きしてもらう

🌐 ディスカウントストアとは「低価格の」小売店のこと
📖 dis (反対に) + count (数える) → 価値を下げること

0239　□□□□□□　□

distance
/dístəns/

名 距離、間隔 動 遠ざける 形 distant 離れた
▷ long **distance** buses 長距離バス
▷ in the **distance** 離れて

🎩 何でしたん? 好きでもないのに遠「距離」恋愛、と覚えよう!

0240　□□□□□□　□

distribute
/distríbju:t/

動 分配する [させる] (≒ allocate) 名 distribution 分配
▷ **distribute** food to the poor 貧困層に食料を分配する
▷ **distribute** a manual マニュアルを配布する

📖 dis (離れて) + tribute (割り当てる) → 分配する

0241　□□□□□□　□

element
/éləmənt/

名 要素、基礎 (≒ factor) 形 elementary 初歩の
▷ the essential **elements** of a contract 契約の必須要素
▷ an **elementary** school 小学校

🌐 エレメントとは「(化学) 元素」のこと

0242　□□□□□□　□

emotional
/imóuʃənl/

形 感動的な、情緒的な 名 emotion (強い) 感情
▷ make an **emotional** speech 感動的なスピーチをする
▷ **emotional** support 精神的な支え

📖 emotional から若者言葉で感動的なことを「エモい」という

━━━ 🔊 Track 035 ━━━

0243 ☐☐☐☐☐☐ ☐
exhaust
/igzɔ́:st/

動 **ひどく疲れさせる、使い果たす** (≒ wear out, consume)
名 **排出、排気**
▷ I was **exhausted** at work. 仕事で疲れ果てた。
▷ car **exhaust** 排ガス

☞ ex (外へ) + haust (吸い込む) → (空っぽに) 使い果たす

0244 ☐☐☐☐☐☐ ☐
extinction
/ikstíŋkʃən/

名 **絶滅、断絶** (≒ dying out) 形 **extinct 絶滅した**
▷ the **extinction** of endangered species 絶滅危惧種の絶滅

(観) extinguish (消滅させる) の名詞形

0245 ☐☐☐☐☐☐ ☐
factor
/fǽktər/

名 **要因** (≒ cause, element) 動 **因数分解する**
▷ an important[various, major] **factor** 重要な [様々な、主な] 要因
▷ a **factor** of success 成功の一要因

(観) fact (物を作る) が語源。他に factory (工場) がある

0246 ☐☐☐☐☐☐ ☐
fault
/fɔ́:lt/

名 **過失、欠点、責任** (≒ defect, flaw)
▷ It's not my **fault**. それは僕の責任じゃないよ。
▷ find **fault** with the plan その計画のあらを探す

🔒 フォール (落ちる) イメージから「過失」を連想しよう!

0247 ☐☐☐☐☐☐ ☐
favor
/féivər/

名 **好意、願い** 動 **好意を示す** 形 **favorable 有益な**
▷ Would you do me a **favor**? お願いを聞いていただけますか?

(観) favorite (お気に入りの) から類推できる語

0248 ☐☐☐☐☐☐ ☐
feature
/fíːtʃər/

名 **特徴、特集** (≒ characteristic) 動 **特集する**
▷ unique[geographical] **features** 特有の [地理的] 特徴

(外) フィーチャーされるとは「特集」されること

0249 ☐☐☐☐☐☐ ☐
focus
/fóukəs/

名 **焦点** (≒ center) 動 **(注意などを) 集中する**
▷ the **focus** of attention 注目の的   ▷ **focus** on the target 的を絞る
▷ the **focus** of an earthquake 地震の震源

☞ 焦点が合っていることを in focus、ピンぼけを out of focus という

Track 036

0250 ☐☐☐☐☐☐ ☐

follow
/fάlou/

動 後に続く、従う (≒ observe) 名 追うこと
▷ follow their example[the law] 先例 [法] に従う

� フォローするとは「(追って) 手助けする」こと、SNS では「(投稿を) 追う」ことを指す

0251 ☐☐☐☐☐☐ ☐

greeting
/grí:tiŋ/

名 挨拶、歓迎すること 動 greet 挨拶する
▷ greeting cards 挨拶状
▷ season's greetings 時候の挨拶
▷ exchange greetings with my friends 友人と挨拶を交わす

㊙ season's greetings は主にクリスマス時期に用いられる表現

0252 ☐☐☐☐☐☐ ☐

heal
/hí:l/

動 癒す、治る (≒ cure, mend) 名 healer 治療師
▷ heal wounds 傷を癒す
▷ heal a broken relationship 壊れた関係を修復する

㊙ 昼 (ひーる) に病気を「治し」ましょう、と覚えよう!

0253 ☐☐☐☐☐☐ ☐

hire
/háiər/

動 (賃金を払って) 雇う、賃借りする (≒ employ, rent)
名 賃借り、賃料
▷ hire a taxi[an assistant] タクシー [助手] を雇う

㊙ ハイヤー車とは「雇わ」れた高級タクシーのこと

0254 ☐☐☐☐☐☐ ☐

influence
/ínfluəns/

名 影響 動 影響を及ぼす 形 influential 勢力のある
▷ have a direct influence on health 健康に直接の影響を及ぼす

㊙ SNS のインフルエンサーは「影響」を及ぼす人

0255 ☐☐☐☐☐☐ ☐

informal
/infɔ́:rm(ə)l/

形 非公式の、形式張らない (≒ casual, easy)
▷ informal dresses[parties, letters] 略式の礼装 [パーティ、手紙]

㊙ in (否定) + form (形) → 非公式の

0256 ☐☐☐☐☐☐ ☐

information
/ìnfərméiʃən/

名 情報、受付 (≒ knowledge) 動 inform 知らせる
▷ personal[valuable] information 個人 [価値ある] 情報

㊙ インフォメーションは日本語になっている

Track 037

0257 □□□□□□ □

instrument
/ínstrəmənt/

名 **道具、楽器** 形 instrumental 楽器の
▷ musical[research] instruments 楽器、[研究] 機器

外 インストルメンタル音楽とは「楽器」のみの音楽のこと

0258 □□□□□□ □

intensive
/inténsiv/

形 **激しい、集中的な** (≒ thorough, concentrated)
名 intensity 激しさ
▷ intensive training 集中トレーニング
▷ intensive survey 徹底的調査

暗 陰転シブイぜ「激しい」攻撃、と覚えよう!

0259 □□□□□□ □

literature
/lít(ə)rətʃər/

名 **文学、文献** 形 名 literate 読み書きできる (人)
▷ the department of literature 文学部
▷ children's[American] literature 児童 [アメリカ] 文学

源 ラテン語の littera (文字) からきた語

0260 □□□□□□ □

locate
/lóukeit/

動 **位置付ける、定住する be located in ~ ~に位置する**
名 location 位置
▷ locate the phone 電話機のありかを探し出す
▷ The store is conveniently located. その店は立地がいい。

外 ロケーションとは「立地、活動場所」のこと

0261 □□□□□□ □

management
/mǽnidʒmənt/

名 **経営 (陣)、管理 (者)** (≒ administration, direction)
動 manage 成し遂げる
▷ management skills[jobs] 経営管理能力 [業務]

外 マネージャーは「経営管理者」のこと

0262 □□□□□□ □

mature
/mət(j)úər/

形 **熟した** (≒ ripe, adult) 動 **熟成する [させる]**
名 maturity 成熟 反 immature 未熟な
▷ a mature age[market] 熟年、成熟した市場

暗 まっ茶飲むのは、「大人の」たしなみ、と覚えよう!

0263 □□□□□□ □

melt
/mélt/

動 **溶ける [かす]、(感情などを) やわらげる**
▷ The snow melted in the sun. 雪が日光で溶けた。

暗 やめると告げたら怒りが「溶け」た、と覚えよう!

◀) Track 038

0264 □□□□□□ □
mission
/míʃən/

名 使命、使節団 形 伝道団の 動 布教する
▷ complete the secret **mission** 極秘任務を果たす
▷ have a strong sense of **mission** 強い使命感を持つ

☞ 映画「ミッションインポッシブル」は不可能な任務を果たす男の話

0265 □□□□□□ □
occasion
/əkéiʒən/

名 出来事、機会 (≒ incident, chance) 動 もたらす
形 occasional 時々の 副 occasionally 時折
▷ special[happy] **occasions** 特別な機会、[慶]事

🔑 どんな「時」でも **OK じゃん**? と覚えよう!

0266 □□□□□□ □
original
/ərídʒənl/

形 元の、独創的な (≒ initial) 名 origin 源泉
▷ the **original** edition (書籍などの) 初版
▷ the **original** meaning of the word 単語の元々の意味

(外) オリジナルは日本語になっている

0267 □□□□□□ □
pause
/pɔ́:z/

動 休止する [させる] (≒ rest) 名 休止
▷ **pause** for moment to think 一息休んで考える

(外) ポーズとは「(音楽用語で) 休止符」、「(止まってとる) 姿勢」

0268 □□□□□□ □
plain
/pléin/

形 明快な、単なる (≒ simple) 名 平原 副 全く
▷ a **plain** color 単色
▷ **plain** answers 明快な答え
▷ in **plain** English 簡単な英語で

(外) 味付けしないヨーグルトはプレーンヨーグルト

0269 □□□□□□ □
point
/pɔ́int/

名 地点、点、要点 (≒ location, factor) 動 指し示す
▷ the **point** of paragraph 段落の要点
▷ the boiling **point** of water 水の沸点

(外) ポイントとは「要点」や「地点」を指す

0270 □□□□□□ □
policy
/pɑ́ləsi/

名 政策、方針 (≒ theory, strategy)
▷ cancellation **policies** キャンセル規約
▷ economic **policy** decisions 経済政策決定

(外) ポリシーは日本語になっている

| Group 3 |
| 084 / 100 |

重要レベル
★★★☆

0271 — 0284

🔊 Track 039

0271 □□□□□□ □

position
/pəzíʃən/

名 **位置、地位** (≒ location) 動 **適所に配置する**
▷ take an executive **position** 重役の地位につく

㊨ ポジションとは「位置」のこと

0272 □□□□□□ □

prohibit
/prouhíbit/

動 **(法、規則によって) 禁止する、妨げる** (≒ ban, forbid)
名 **prohibition** 禁止
▷ **prohibit** students from drinking in the dorm
学生の寮内での飲酒を禁止する
▷ **prohibited** items 禁止品目

🔊 プロ日々特訓「禁止する」、と覚えよう!

0273 □□□□□□ □

promotion
/prəmóuʃən/

名 **促進、宣伝** (≒ advancement, advertisement)
動 **promote** 促進する
▷ sales-**promotion** campaigns 販売促進キャンペーン

㊨ PV とはプロモーション (宣伝) ビデオのこと

0274 □□□□□□ □

publisher
/pʌ́bliʃər/

名 **出版者 [社]** (≒ issuer) 動 **publish** 出版する
▷ a book[academic] **publisher** 書籍 [学術] 出版社

㊙ public (公) に出すこと、publ (人々) が語源

0275 □□□□□□ □

purchase
/pə́ːrtʃəs/

名 **購入品、入手** 動 **購入する** (≒ buy, obtain)
▷ Thank you for your **purchase**. ご購入有難うございます。

☞ pur (求めて) + chase (追う) → 買い求めること

0276 □□□□□□ □

quantity
/kwántəti/

名 **量、多量 [数]** (≒ amount) 反 **quality** 質
▷ a large **quantity** of paper[wine] 大量の紙 [ワイン]

🔊 こんなに大「量」は食わんて? と覚えよう!

0277 □□□□□□ □

rapid
/rǽpid/

形 **迅速な、急激な** 名 **急流** 副 **rapidly** 素早く
▷ **rapid** advances[declines] in the economy
経済の急激な発展 [低下]

☞ 南海ラピートは関西国際空港行きの特急電車

0278 □□□□□□   □

rare
/réər/

形 **稀な** (≒ unusual)、**生焼けの** 副 **rarely** 稀に
▷ **rare** metals[species] 希少金属 [種]

⑭ レアな、レアもの、など「希少な」ことを表す

0279 □□□□□□   □

religion
/rilíʤən/

名 **宗教、信仰** (≒ faith) 形 **religious** 信心深い
▷ freedom of **religion** 宗教の自由
▷ folk **religion** 民間信仰

🔑 来たれりジョン!「信仰」せよ、と覚えよう!

0280 □□□□□□   □

remove
/rimúːv/

動 **取り除く、移動する** (≒ displace) 名 **隔たり**
▷ **remove** the lid[stains] 蓋を外す、[シミ] を取る

⑭ エナメルリムーバーは「除」光液のこと

0281 □□□□□□   □

resign
/rizáin/

動 **(正式に) 辞職する、(権利、希望などを) 放棄する**
  (≒ quit, surrender)
▷ **resign** from his job[position] 辞職する

☞ re (後ろに) + sign (署名) → (署名して) 辞める

0282 □□□□□□   □

review
/rivjúː/

動 **見直す、批評する** (≒ think over) 名 **復習**
▷ **review** the plan[the policy] 計画 [方針] を見直す
▷ **review** the book 書評を書く

⑭ レビューは「講評」、「見直し」のこと

0283 □□□□□□   □

satisfaction
/sæ̀tisfǽkʃən/

名 **満足、実現** (≒ content) 動 **satisfy** 満たす
▷ customer[job] **satisfaction** 顧客 [仕事の] 満足度

🔑 さて、ハックション! くしゃみに「満足」? と覚えよう
📖 satis (十分に) 満たすこと

0284 □□□□□□   □

scenery
/síːnəri/

名 **景色、風景** (≒ landscape, view)
▷ the beautiful **scenery** of Europe ヨーロッパの美しい風景

📖 scene (場面) と同じ語源

| Group 3
| 098 / 100

重要レベル
★ ★ ★ ☆

0285 – 0298

🔊 Track 041

0285 ☐☐☐☐☐ ☐

settlement
/sétlmənt/

名 **落ち着くこと、合意** 動 settle 解決する
▷ reach a peace **settlement** 和平合意に至る
▷ an agricultural **settlement** 農業集落

💡 何**せ、取るん**だ「合意」を、と覚えよう!

0286 ☐☐☐☐☐ ☐

simple
/símpl/

形 **単純な、簡単な** (≒ easy) 副 simply 単に
▷ **simple** recipes[questions] 簡単なレシピ[質問]

🔤 シンプルは日本語になっている

0287 ☐☐☐☐☐ ☐

sincerely
/sinsíərli/

副 **誠実に、心から** (≒ truly) 形 sincere 心からの
▷ I **sincerely** apologize for the mistake.
　間違いを心からお詫びいたします。

💡「誠実な」**紳士やー**、と覚えよう!

0288 ☐☐☐☐☐ ☐

slightly
/sláitli/

副 **わずかに、(構造などが) もろく** 形 slight 軽微な
▷ My answer is **slightly** different from yours.
　私の答えはあなたの答えと少し異なる。

☞ little の改まった表現、「若干」に相当

0289 ☐☐☐☐☐ ☐

sorrow
/sárou/

名 **悲しみ、不幸** (≒ grief, sadness) 動 悲しむ
▷ I was filled with deep **sorrow**. 私は深い悲しみでいっぱいだった。

💡「不幸」と「悲しみ」抱いて**去ろう**とは! と覚えよう!

0290 ☐☐☐☐☐ ☐

state
/stéit/

動 **述べる、提示する** 名 **状態、地位** 形 **州の**
▷ **state** the reason why the accident happened
　事故が起こった理由を述べる
▷ a **state** of the art 最新式

☞「州」「状態」「述べる」と意味が多く、要注意!

0291 ☐☐☐☐☐ ☐

suspect
動 /səspékt/ 名 形 /sáspekt/

動 **疑う、嫌疑をかける** (≒ doubt) 名 **容疑者** 形 **不審な**
形 suspicious 疑わしい
▷ **suspect** a trap 罠ではないかと疑う
▷ a **suspected** drunk driver 飲酒運転の容疑者
▷ a prime **suspect** 最重要容疑者

💡 フルーツ**さすピック**取って逃げた「容疑者」、と覚えよう!

🔊 Track 042

0292 ☐☐☐☐☐☐ ☐

sympathy
/símpəθi/

名 **共感、お悔やみ** 動 **sympathize** 同情する
▷ express **sympathy** for the victims 犠牲者に同情を示す
▷ **sympathy** messages お悔やみの言葉

☞ sym (共に) + path (感情) → 共感

0293 ☐☐☐☐☐☐ ☐

symptom
/símptəm/

名 **症状、兆し** (≒ sign, indication)
▷ **symptoms** of allergy[influenza] アレルギー [インフルエンザ] 症状

🔑 病身布団で重い「症状」、と覚えよう!
☞ sym (共に) + ptom (落ちる) → (悪い状態に) 陥ること

0294 ☐☐☐☐☐☐ ☐

task
/tǽsk/

名 **(骨の折れる) 仕事、課題** (≒ assignment, job)
動 **仕事を課す、酷使する**
▷ accomplish the **task** 仕事をやり遂げる
▷ an emergency **task** force 緊急対策本部

🈳 タスクフォースは緊急課題解決のためのチーム

0295 ☐☐☐☐☐☐ ☐

technique
/tekníːk/

名 **技術、テクニック** (≒ skill, method)
▷ new[practical] **techniques** 新 [実践的] 技術
▷ swimming[skiing] **techniques** 水泳 [スキー] 技術

🈳 テクニックは日本語になっている

0296 ☐☐☐☐☐☐ ☐

theme
/θíːm/

名 **主題、(課題の) 作文** (≒ subject, topic)
▷ **theme** songs[parks] テーマソング [パーク]
▷ the **theme** of the story[movie] 物語 [映画] の主題

🈳 テーマは日本語だが、本来の発音はシームに近い

0297 ☐☐☐☐☐☐ ☐

threat
/θrét/

名 **脅迫、脅威** (≒ warning) 動 **threaten** 脅す
▷ a major **threat** 重大な脅威
▷ the **threat** of terrorism[global warming]
　テロ [地球温暖化] の脅威

🔑 危ない! スレ**スレ (っと)** 車の脅威、と覚えよう!

0298 ☐☐☐☐☐☐ ☐

tight
/táit/

形 **堅い、厳しい** 動 **tighten** しっかり締める
▷ a **tight** control[schedule] 厳しい管理 [日程]

🈳 使用例としてタイトスカート、タイトな予定などがある

0299 ☐☐☐☐☐ ☐

transport
動/trænspɔ́ːrt/ 名/trǽnspɔːt/

動 **運ぶ、追放する** (≒ convey, transfer) 名 **(軍用) 輸送機**
名 transportation 輸送
▷ **transport** patients to the hospital 患者を病院に搬送する

☞ trans (向こうへ) + port (運ぶ) → 輸送する

0300 ☐☐☐☐☐ ☐

witness
/wítnəs/

名 **目撃者、証拠** (≒ observer, spectator)
動 **目撃する、証言する**
▷ a **witness** to a murder[an accident] 殺人 [事故] の目撃者

🔲 ウっと! 寝すぎを「目撃」された、と覚えよう!
源 wit (知る) が語源

類語をまとめてチェック!　　動詞編 ③

最重要 ★★★☆

☐ **(be similar to, resemble)** my friend 私の友達に似ている

☐ **(be opposed to, object to, disagree with, be[go] against)** the proposal
その提案に反対する

☐ be (**annoyed, irritated, offended)** by the delay 遅れにいら立つ

☐ **(concentrate on, focus on, devote oneself to)** my work 仕事に集中する

☐ **(participate, take part, get involved)** in the event イベントに参加する

☐ **(emphasize, place[put] an emphasis on, stress)** the importance
その重要性を強調する

☐ be **(related[connected, linked] to, associated with)** social life
社会生活に関連している

☐ **(solve, work out, resolve)** the problem 問題を解決する

☐ **(dominate, rule, govern)** the world 世界を支配する

□ **(be planning[trying, attempting], intend)** to travel to Europe
ヨーロッパに旅行するつもりである

重要 ★★☆☆

□ **(complain about, protest (against))** the treatment
その待遇に対して不満を表す

□ **(repair, mend, fix)** the car 車を修理する

□ **(adopt, select, pick out)** the system そのシステムを選ぶ

□ **(Forgive, Pardon, Excuse)** my manners. 失礼を許してください。

□ **(employ, hire, recruit)** the worker そのワーカーを雇う

□ **(quit, retire from, resign from)** my job 仕事をやめる

□ **(deserve, be worth)** the effort 努力するに値する

□ **(resume, restart, reopen)** the negotiation 交渉を再開する

□ **(recommend, suggest, propose)** that he participate in the game
彼が試合に参加するように提案する

□ **(have, possess, be born[gifted] with)** a sense of humor
ユーモアのセンスがある

□ **(defeat, conquer, overcome, beat)** the enemy 敵を打ち負かす

□ **(indicate, reveal, suggest, demonstrate, illustrate, prove)** the point
ポイントを示す [証明する]

□ **(insult, offend, give offence to, be rude to)** the woman
女性に失礼なことを言って気分を害する

🔊 Track 043

0301 □□□□□□ □

abandon

/əbǽndən/

動 (家族、地位、慣習などを) 捨てる、断念する (≒ leave behind)

名 abandonment 放棄

▷ abandon the idea[the child] 考え [子供] を捨てる

💡 箸とお盆どんどん「捨てる」と片付くよ、と覚えよう!

0302 □□□□□□ □

accept

/æksépt/

動 受け入れる、認める (≒ receive, admit)

名 acceptance 承諾 形 acceptable 許容範囲の

▷ accept the invitation[offer] 招待 [申し出] に応じる

💡 悪、切腹と「受け入れろ」、と覚えよう!

0303 □□□□□□ □

acquaintance

/əkwéintəns/

名 知人、面識 (≒ associate) 形 acquainted 知り合いの

▷ an acquaintance of many years 長年の知り合い

💡 ああ食えんと好き嫌いの激しい「知人」、と覚えよう。

0304 □□□□□□ □

agriculture

/ǽɡrikʌ̀ltʃər/

名 農業 (≒ farming) 形 agricultural 農業に関する

▷ the agriculture industry[equipment] 農産業 [機具]

☞ agri (畑) + cult (耕す) → 農業

0305 □□□□□□ □

aim

/éim/

動 狙う、意図する (≒ intend) 名 目的、標的

▷ aim at the target 的を狙う

▷ aim for the top トップを目指す

💡 えぃ! むむっ! と投げて「狙う」的、と覚えよう!

0306 □□□□□□ □

annual

/ǽnjuəl/

形 例年の、年に一回の 名 年鑑 副 annually 毎年

▷ an annual event[calendar] 年間行事 [カレンダー]

💡 案のあるうちに「年に一度の」会議やろう! と覚えよう!

0307 □□□□□□ □

apologize

/əpɑ́ləʤàiz/

動 謝罪する、弁解する (≒ excuse) 名 apology 謝罪

▷ I deeply apologize for the inconvenience.
ご不便を深くお詫び申し上げます。

💡 あ、ボロ (ボロ) 爺さん涙で「謝罪」、と覚えよう!

◀)) Track 044

0308 □□□□□□ □

apparently
/əpǽrəntli/

副 見たところ、明らかに (≒ it appears that ~)
形 apparent 明らかな
▷ Oil is **apparently** different from water. 油は明らかに水と違う。

🔑 あ、パランと、りすが「明らかに」落ちた、と覚えよう!

0309 □□□□□□ □

appropriate
形 /əpróupriət/
動 /əpróuprièit/

形 適切な (≒ suitable) 動 (金などを) 当てる
▷ an **appropriate** choice[answer] 適切な選択 [答え]

🔑 あ、風呂、プリンへと「適切な」変化、と覚えよう!
☞ ap (向かって) + propri (自分のもの)
　　→ ふさわしい (と私物化すること)

0310 □□□□□□ □

assign
/əsáin/

動 (仕事などを) 割り当てる 名 assignment 課題
▷ **assign** a task to each member within the group
　グループ内の各メンバーに仕事を割り当てる

☞ as (向かって) + sign (印す) → 任命する

0311 □□□□□□ □

association
/əsòusiéiʃən/

名 関連、連合 (≒ union, company)
形 動 名 associate 準~、関係づける、仲間
▷ members of an **association** 組合の会員
▷ in **association** with the event そのイベントと関連で

🌐 アソシエーションは共通の目的を持つ人の「連合」

0312 □□□□□□ □

attach
/ətǽtʃ/

動 付着 [属] する [させる] 名 attachment 付属、愛着
▷ The card is **attached** to the gift. 贈り物にカードが添えられている。

🌐 アタッチメントとは「付属品」のこと
☞ at (~に) + tack (留め金) → (しっかり留めて) 付着させる

0313 □□□□□□ □

ban
/bǽn/

動 禁止する (≒ restrict, prohibit) 名 禁止
▷ **ban** smoking[imports] 喫煙 [輸入] を禁止する

🔑 バンバン「禁止する」、と覚えよう!

0314 □□□□□□ □

bargain
/bá:rgən/

名 安売り、取引 (≒ discount) 動 値段交渉する
▷ make a **bargain** with him 彼と取引する
▷ **bargain** sales 大安売り

🌐 バーゲンとは「安売り」のこと

0315 ☐☐☐☐☐ ☐

betray
/bitréi/

動 裏切る、(秘密などを) 暴く　名 betrayal 裏切り
▷ I was **betrayed** by my friend. 友に裏切られた。

🔓 み (び) とれい、今に裏切ってやる！ と覚えよう！

0316 ☐☐☐☐☐ ☐

bill
/bíl/

名 請求書、紙幣、議案　動 請求書を送る
▷ **bill** payments 請求書払い
▷ a five dollar **bill** 5ドル札

☞ アメリカで食事後の会計は、テーブルで Bill, please! と叫ぼう

0317 ☐☐☐☐☐ ☐

biography
/baiágrəfi/

名 伝記、経歴 (≒ life history, career)
▷ a **biography** of the author 著者の経歴
▷ a fictional **biography** 伝記小説

☞ bio (生命) + graph (記述) → 一代記

0318 ☐☐☐☐☐ ☐

border
/bɔ́ːrdər/

名 境界 (線) (≒ boundary)　動 隣接する、縁取る
▷ **border** wars[patrols] 国境戦争 [警備隊]

外 合否のボーダーラインとは合否の「境目」を指す

0319 ☐☐☐☐☐ ☐

brief
/bríːf/

形 簡潔な、短い (≒ concise, quick, short)
動 要約する　名 概要　副 briefly 手短に
▷ a **brief** summary[history] 要約、略 [歴]

外 ブリーフとは「短い」パンツ、ブリーフケースとは「要綱 (書類)」を入れるケースのこと

0320 ☐☐☐☐☐ ☐

cease
/síːs/

動 やめる、絶える、(≒ finish, terminate)
▷ You never **cease** to amaze me. 君には絶えず驚かされている。

🔓 しー！ ずっと泣き「やむ」のを待ってるの、と覚えよう！

0321 ☐☐☐☐☐ ☐

chaos
/kéiɑs/

名 大混乱、混沌　反 order 秩序
▷ bring order to chaos 混沌に秩序をもたらす

外 日本語では「カオス」と呼んでいる

Track 046

0322 □□□□□□ □

cheat
/tʃíːt/

動 **不正を働く** (≒ deceive) 名 **詐欺 (師)**
▷ **cheat** on the exam 試験で不正をする
▷ **cheat** on his wife 妻に不貞を働く

🔟 ちーっとばかし「不正を働い」てもいいやろ、と覚えよう!

0323 □□□□□□ □

circumstance
/sə́ːrkəmstæns/

名 **状況、事情、境遇** (≒ condition, occurrence)
▷ financial **circumstances** 財政状況
▷ under any **circumstances** どんな状況でも

🔟 さ、悪魔サタン、諸「事情」を教えて、と覚えよう!
☞ circum (まわりに) + stance (立つ) → (まわりの) 状況

0324 □□□□□□ □

combination
/kàmbənéiʃən/

名 **組み合わせ、結合** 動 combine 結合する
▷ a **combination** of colors 色の組み合わせ

🈁 コンビ (ネーション) とは「組み合わせ」のこと、お笑いコンビ
　はボケとツッコミのコンビネーション

0325 □□□□□□ □

commute
/kəmjúːt/

動 **通勤 [学] する、減刑する** 名 commuter 通勤者
▷ **commute** by train 電車通勤する
▷ **commute** his death sentence to life 死刑を終身刑に減刑する

🔟 混むと大変!「通勤」電車、と覚えよう!

0326 □□□□□□ □

complex
形 動 /kəmpléks/
名 /kámpleks/

形 **複雑な** (≒ complicated, mixed, tangled)
名 **複合体** 動 **複雑にする**
▷ **complex** problems[buildings] 複合問題 [ビル]

🈁 シネコン (cinema complex) とは「複合映画館」のこと

0327 □□□□□□ □

confession
/kənféʃən/

名 **告白、自白** (≒ admission) 動 confess 告白する
▷ **confessions** of faith[love] 信仰 [愛] の告白

☞ con (強く) + fess (述べる) → (自ら認め) 自白すること

0328 □□□□□□ □

constant
/kánstənt/

形 **一定の、持続する** 副 constantly 絶えず
▷ **constant** changes[anxiety] 絶え間ない変化 [不安]

🈁 コンスタントとは「常に一定していること」

🔊 Track 047

0329 □□□□□ □

crime
/kráim/

名 犯罪 (≒ offense) 形名 criminal 有罪の、犯人
▷ **crimes** against humanity 人道に対する犯罪
▷ **crime** investigations 犯罪捜査

🔑「犯罪」には暗いムードがつきもの、と覚えよう！

0330 □□□□□ □

cruel
/krúːəl/

形 残酷な、悲惨な 名 cruelty 残酷性
▷ a **cruel** treatment[punishment] 残酷な扱い [罰]

🔑 いつでも狂える「残酷」人間、と覚えよう！

0331 □□□□□ □

currency
/kə́ːrənsi/

名 通貨、流行 形名 current 現行の、傾向
▷ foreign[local] **currency** 外貨、[現地] 通貨

🔑 カレン、市場の「流行」にはうるさいの、と覚えよう！

0332 □□□□□ □

current
/kə́ːrənt/

形 最新の、流通している (≒ up-to-date, present)
名 傾向、電流 副 currently 現在は
▷ **current** affairs[news] 時事問題 [ニュース]

🔑「今の」彼んとってもオシャレなの、と覚えよう！

0333 □□□□□ □

data
/déitə/

名 datum (データ、基礎資料) の複数形
▷ **data** collection methods データ収集方法
▷ **data** analysis techniques データ解析技術

🗣 データは日本語になっている

0334 □□□□□ □

decade
/dékeid/

名 10 年間、ひと昔、旬 (≒ 10-year period)
▷ **decades** of war 数十年に及ぶ戦争
▷ **decade** after **decade** 何十年にもわたって

🔑「10 年」計画でっけいど、と覚えよう！

0335 □□□□□ □

declaration
/dèkləréiʃən/

名 宣言、申告 (書) (≒ statement, announcement)
動 declare 宣言する
▷ the **declaration** of independence[human rights]
　独立 [人権] 宣言

🔑 釣ってくらぁ、冷笑されても大漁「宣言」、と覚えよう！

🔊 Track 048

0336 ☐☐☐☐☐☐ ☐

defeat
/difíːt/

動(敵を)破る、駄目にする (≒ beat) 名敗北
▷ **defeat** the purpose 目的をくつがえす
▷ **defeat** the champion チャンピオンを倒す

☞ beat (負かす) の固い表現

0337 ☐☐☐☐☐☐ ☐

degree
/digríː/

名程度、度、学位 (≒ grade, level)
▷ a law **degree** 法律の学位
▷ to a certain **degree** ある程度は

🔲 この「程度」で**グリー**っと回せ、と覚えよう!

0338 ☐☐☐☐☐☐ ☐

deny
/dinái/

動否定する、拒む (≒ refuse) 名**denial**拒否
▷ **deny** the fact[the possibility] 事実[可能性]を否定する

🔲 もう芽は**出ない**と「否定する」、と覚えよう!

0339 ☐☐☐☐☐☐ ☐

department
/dipáːrtmənt/

名(組織の)部[課、省]、学部 (≒ section, district)
▷ the **department** of education 教育学部
▷ a **department** chair 学部長

🌐 デパート (department store) は「百貨店」

0340 ☐☐☐☐☐☐ ☐

deposit
/dipázit/

動(貴重品などを)預ける、置く[かれる] 名保管[物]
▷ **deposit** money in a bank 銀行に預金する
▷ **deposit** books 預金通帳

🌐 デポジットとは「保証金」のこと
🔲 「保管」所で**ポジ**っと「置かれ」た貴重品、と覚えよう!

0341 ☐☐☐☐☐☐ ☐

disadvantage
/dìsədvǽntidʒ/

名不利益 動損害を与える 反**advantage**有益
▷ the **disadvantages** of the Internet インターネットの弊害

📖 dis (反対に) + advant (前進) → 進まないので「不利益」

0342 ☐☐☐☐☐☐ ☐

discrimination
/diskrìmənéiʃən/

名差別、識別 動**discriminate**差別する
▷ racial[gender] **discrimination** 人種[性]差別

🔲 何です? 暗い峰、石を投げて「差別」とは

◀)) Track 049

0343 ☐☐☐☐☐☐ ☐

distinct
/distíŋkt/

形 **全く異なる、明白な** (≒ apparent, different)
名 distinction 差異 形 distinctive 特有の
▷ four **distinct** seasons はっきりとした四季
▷ **distinct** features 目立った特徴

源 distinguish (区別する) と同じ語源をもつ

0344 ☐☐☐☐☐☐ ☐

district
/dístrikt/

名 **(都市の) 地区、地域** (≒ territory, zone)
▷ school[shopping] **districts** 学区、[ショッピング] 街

🔑 どの「地域」です? 鳥食 (っ) とるのは、と覚えよう!

0345 ☐☐☐☐☐☐ ☐

doubt
/dáut/

動 **疑う** 名 **不信感** 形 doubtful 疑わしい
▷ I **doubt** if it is true. それが真実かは疑わしい。

☞ 映画「ミセス・ダウト」は疑わしい女装をした父親と子供たちの
ハートフル・コメディ

0346 ☐☐☐☐☐☐ ☐

economic
/èkənámik/

形 **経済の、実用的な** 名 economy 経済
▷ **economic** growth 経済成長
▷ an **economic** crisis 経済危機

☞ eco (家) + nom (学問) → 家政管理学から「経済」

0347 ☐☐☐☐☐☐ ☐

effective
/iféktiv/

形 **効果的な、事実上の** 副 effectively 効果的に
▷ **effective** training methods[advertising campaigns]
効果的な訓練方法 [広告キャンペーン]

外 「効果」を与えるものをエフェクターという

0348 ☐☐☐☐☐☐ ☐

efficient
/ifíʃənt/

形 **効率的な、有能な** (≒ effective, productive)
名 efficiency 効率 副 efficiently 効率的に
▷ an **efficient** service 効率的なサービス
▷ an **efficient** secretary 有能な秘書

源 fic (作る) を含む fiction と同じ語源

0349 ☐☐☐☐☐☐ ☐

emergency
/imə́:rʤənsi/

名 **緊急事態** (≒ pinch) 形 emergent 切迫した
▷ **emergency** alerts[exits] 緊急警報、非常 [出口]

🔑 え、麻雀していたら「緊急事態」、と覚えよう!
源 merge (飛び込む) から水しぶきのように突如現れる

🔊 Track 050

0350 ☐☐☐☐☐☐ ☐

examination
/igzæmənéiʃən/

名 **試験、検査** 動 examine 検査する
▷ entrance **examinations** 入学試験
▷ medical **examinations** 健康診断

☞ 略して exam という、test よりやや堅い語

0351 ☐☐☐☐☐☐ ☐

exchange
/ikstʃéindʒ/

動 **交換する、やり取りする** 名 **交換** (≒ trade)
▷ foreign **exchange** students 外国人交換留学生
▷ foreign **exchange** rates 外国為替レート

🔑 「交換」いくつ？ ちぇ、1円じゃ!、と覚えよう!
☞ ex (離れて) + change (換える) → 交換する

0352 ☐☐☐☐☐☐ ☐

famine
/fǽmin/

名 **飢きん、飢餓、欠乏** (≒ starvation, scarcity)
▷ die from **famine** 飢饉で死ぬ

🔑 ふぁーみんな「飢饉」で死んじゃった! と覚えよう。

0353 ☐☐☐☐☐☐ ☐

fascinate
/fǽsənèit/

動 **魅了する、悩殺する** (≒ charm, attract)
▷ I was **fascinated** by her beauty. 私は彼女の美しさに心奪われた。

🔑 箸ねぇとは洋食のとりこ、と覚えよう!
🔍 fascin (魔法) をかけた様にとりこにするから

0354 ☐☐☐☐☐☐ ☐

following
/fɑ́louiŋ/

形 **次に続く** (≒ next) 名 **支持者** 前 **〜の後に**
▷ the **following** year[sentence] 翌年、後に続く[文]

🔍 フォローするとは「(追って) 助ける」こと、SNS のフォロワーとは「(投稿を追って) 支持する人」

0355 ☐☐☐☐☐☐ ☐

impact
名/ímpækt/ 動/impǽkt/

名 **衝撃、(強い) 影響** 動 **強い影響を与える**
▷ the **impact** of the Internet[media] on society
社会へのインターネット[メディア]の影響

🔍 インパクトは日本語になっている

0356 ☐☐☐☐☐☐ ☐

innocent
/ínəs(ə)nt/

形 **無罪の、無邪気な** 名 innocence 無知
▷ **innocent** children 無邪気な子供
▷ He is **innocent** of the crime. 彼は無実だ。

☞ in (否定) + noc (害する) → 無害な

● Track 051

0357 □□□□□□ □

invent
/invént/

動 発明する、捏造する (≒ create) 名 invention 発明
▷ **invent** the computer コンピュータを発明する
▷ **invent** a story 話をでっち上げる

⟨外⟩ インベンターとは「発明家」のこと

0358 □□□□□□ □

investigation
/invèstəgéiʃən/

名 調査、探求、捜査 動 investigate 調査する
▷ police **investigations** 警察の捜査
▷ an **investigation** into the cause of the accident 事故原因の調査

☞ in (中に) + vestig (跡) → (跡をたどって) 調査すること

0359 □□□□□□ □

landscape
/lǽndskèip/

名 景観、地形 動 景観を整える 形 横に広がる
▷ rural[snowy] **landscapes** 田舎の [雪] 景色

☞ land (土地) + scape (風景) → 地形

0360 □□□□□□ □

legal
/líːgəl/

形 法律上の、正当な 反 illegal 違法の
▷ **legal** advice[battles] 法的な助言、法廷闘争

♔ 利がある仕事だ「法律」顧問、と覚えよう!

0361 □□□□□□ □

motivation
/mòutəvéiʃən/

名 (前向きな) 動機、刺激 (≒ incentive, impulse)
動 motivate 動機を与える 名 motive 誘因
▷ a lack of **motivation** やる気の欠如
▷ a **motivation** for studying 学習意欲

☞ motivation は前向きな、motive は内的な、動機を表す

0362 □□□□□□ □

neutral
/n(j)úːtrəl/

形 中立の、あいまいな 動 neutralize 中和する
▷ **neutral** countries[colors] 中立国、中間 [色]

⟨外⟩ 車のニュートラルギアとは前進でも後退でもない「中間の」ギア
のこと

0363 □□□□□□ □

occasionally
/əkéiʒ(ə)nəli/

副 時々 (≒ once in a while) 形 occasional 時々の
▷ It **occasionally** rains in this area. この地域はたまに雨が降る。

♔ OK! ジョン、なりきり「時折」我忘れる

🔊 Track 052

0364 □□□□□□ □

occupation
/àkjupéiʃən/

名 (規則的に従事する) 職業、業務、占有
　(≒ employment, invasion) 動 occupy 占領する
▷ an army of **occupation** 占領軍
▷ freedom of **occupation** 職業の自由

🔡 お灸、閉所でする「職業」、と覚えよう！

0365 □□□□□□ □

opponent
/əpóunənt/

名 敵、相手 (≒ enemy, competitor) 形 対立する
▷ formidable[political] **opponents** 手強い [政] 敵

🔡 「敵」の尾っぽ、念頭に戦え、と覚えよう！

0366 □□□□□□ □

opportunity
/àpərt(j)úːnəti/

名 有利な状況、好機 (≒ chance, occasion)
▷ business **opportunities** ビジネスの好機
▷ a rare **opportunity** めったにない機会

🔡 お、ブチュー！ 煮てたらさけた、今「チャンス」！
☞ op (向かって) + port (港) → 港に向かう (良い風が吹く) こと

0367 □□□□□□ □

otherwise
/ʌ́ðərwàiz/

副 さもないと、別の点で (≒ differently) 形 他の
▷ I think **otherwise**. 私は別のほうに考える。
▷ Study hard, **otherwise** you'll fail the exam.
　懸命に勉強しなさい。さもないと試験に落ちるよ。

☞ 別の (other) 点で賢い (wise) ということ

0368 □□□□□□ □

particular
/pərtíkjulər/

形 特有の、詳細な 名 詳細 副 particularly 特に
▷ **particular** interests[features] 特有の関心 [特徴]

🔡 「特別の」パーティー来らぁ！ と覚えよう！
☞ parti (部分) + cul (小さい) → 詳細

0369 □□□□□□ □

permanent
/pə́ːrm(ə)nənt/

形 (半) 永久的な、常置の (≒ eternal, constant)
▷ a **permanent** residence[effect] 永住、永続 [効果]

☞ パーマをかけると「永続する」ウェーブ (permanent wave)
　が髪につく

0370 □□□□□□ □

range
/réindʒ/

動 及ぶ、並べる 名 範囲 (≒ extent, reach)
▷ Prices **range** from one to five dollars.
　価格は 1 ドルから 5 ドルに及ぶ。

(外) ガスレンジとは熱源が「並ぶ」ガス式「調理用ストーブ」のこと

🔊 Track 053

0371 □□□□□□ □

recall
/rikɔ́:l/

動 **思い出す、(不良品を) 回収する** 名 **リコール**
▷ **recall** the past 過去を思い出す
▷ **recall** the product 製品を回収する

(外) リコールは企業による「不良品の回収」のこと
☞ re (元に) + call (呼ぶ) → 回収する

0372 □□□□□□ □

recommend
/rèkəménd/

動 **薦める** (≒ suggest) 名 **recommendation** 推薦
▷ **recommend** a book to students 生徒に一冊の本を薦める

🔒 お利口! 面倒でも「薦める」よ、と覚えよう!
☞ re (再び) + com (強く) → (思いを託し) 推薦すること

0373 □□□□□□ □

recovery
/rikʌ́vəri/

名 **(権利、状態などの) 回復、回収** (≒ revival, restoration)
動 **recover** 回復する
▷ a complete **recovery** from grief[illness]
悲しみ [病] からの完全回復

(外) リカバリーディスクはパソコンを「初期化 (回復)」するもの

0374 □□□□□□ □

reduce
/rid(j)ú:s/

動 **減る、縮小する** (≒ lessen) 名 **reduction** 削減
▷ **reduce** the risk[price] リスク [値段] を下げる

☞ 環境問題解決の 3R とは reduce (発生抑制) reuse (再使用)
recycle (再生利用) のこと

0375 □□□□□□ □

refuse
動/refú:z/ 名/réfju:s/

動 **拒む** 名 **ごみ** 形 **無価値の** 名 **refusal** 拒否
▷ **refuse** the offer[proposal] 申し出 [提案] を断る

☞ re (再び) + fuse (注ぐ) → (注ぎ返して) 拒む

0376 □□□□□□ □

regard
/rigá:rd/

動 **考慮する、見つめる** (≒ consider, observe) 名 **心遣い**
反 **disregard** 軽視する
▷ He is **regarded** as a hero. 彼は英雄視されている。

🔒 おりガードせよ、ゴリラがこっちを「見つめ (て) る」、と覚えよう!

0377 □□□□□□ □

region
/rí:dʒən/

名 **(広大な) 地帯、領域** 形 **regional** 地方の
▷ desert[entire] **regions** 砂漠 [全] 地域

🔒 くりーじゃんじゃん採れる「地域」、と覚えよう!

🔊 Track 054

0378 □□□□□□ □

register
/réʤistər/

名登録 (機)、名簿 動登録する 名registration 登録
▷ **registered** trademarks[nurses] 登録商標 [看護師]

〈外〉スーパーのレジ (スター) とは 「金銭登録機」 のこと

0379 □□□□□□ □

regulation
/règjuléiʃən/

名規制、規則 形規定の 動regulate 規制する
▷ traffic[strict] **regulations** 交通 [厳しい] 規制

☞ regul (規則的) + ation (にすること) → 規則

0380 □□□□□□ □

reputation
/rèpjutéiʃən/

名(一般的な) 評判、名声 (≒ esteem, honor)
▷ have a good **reputation** 評判が良い
▷ a **reputation** as an athlete アスリートとしての名声

🔐 それ! ビューって衣装の 「評判」 上がる、と覚えよう!

0381 □□□□□□ □

scold
/skóuld/

動(うるさく) 叱る、説教する 名口うるさい人
▷ I was **scolded** by my boss. 上司に説教された。

🔐 すっこる (ろん) だら 「叱られる」、と覚えよう!

0382 □□□□□□ □

shift
/ʃíft/

名転換、変化 (≒ switch, change) 動移す、転じる
▷ an eight-hour **shift** 8 時間交替制
▷ **shift** the focus of the lens レンズの焦点をずらす

〈外〉シフト勤務とは 「交替」 勤務のこと

0383 □□□□□□ □

spare
/spéər/

動(時間などを) 割く、控える 形予備の 名予備
▷ **spare** time for him 彼に時間を割く
▷ **spare** keys[rooms] 予備のカギ [部屋]

〈外〉スペアタイヤとは 「予備の」 タイヤのこと

0384 □□□□□□ □

spill
/spíl/

動こぼす、ばらまく (≒ scatter) 名流出
▷ **spill** the secret 秘密をばらす
▷ **spill** a drink 飲み物をこぼす

🔐 彼が 「こぼす」 ビル (薬) を横で拾う、と覚えよう!

🔊 Track 055

0385 □□□□□ □

spoil
/spɔ́il/

動 台無しにする、甘やかす (≒ ruin) 動 戦利品
▷ **spoiled** children 甘やかされた子供
▷ **spoil** the mood 雰囲気を壊す

🔑 ジャンプで輪に**スポッ！ いる**かを「甘やかす」、と覚えよう！

0386 □□□□□ □

stir
/stə́ːr/

動 かき回す、奮起する [させる] 名 揺れ、刺激
▷ **stir** the soup スープをかき混ぜる
▷ **stir** up trouble 騒動を起こす

🔑 スタ**スタァ**っと歩いて「かき回す」
🔁 storm (嵐) と共通の起源を持つ

0387 □□□□□ □

suicide
/súːəsàid/

動 自殺、自殺行為、自殺者 (≒ taking one's own life)
▷ commit **suicide** 自殺する
▷ **suicide** bombing 自爆テロ

🔑 ガス**吸い再度**「自殺」試みる、と覚えよう！

0388 □□□□□ □

suitable
/súːtəbl/

形 適切な、相応する (≒ appropriate)
動 名 **suit** 適する、(スーツなどの) 一揃い
▷ **suitable** conditions[jobs] 適した条件 [仕事]

🔑 **スゥ (ず)** っと、ブルブルふるえているよ、「ふさわしい」「スーツ」と靴をくれ、と覚えよう！

0389 □□□□□ □

sum
/sʌ́m/

名 合計、要約 (≒ amount, total) 動 まとめる
▷ a large **sum** of money 多額のお金　▷ in **sum** 要するに

🔑 **サム**、「要約」してよ、と覚えよう！
☞ summit (頂上) と同じ、ラテン語 summa (最も高い所、重要な所) が語源

0390 □□□□□ □

survey
動/sərvéi/ 名/sə́rvei/

動 (風景などを) 見渡す、調査する 名 調査
▷ **survey** the land 土地を測量する
▷ conduct a **survey** 調査を行う

🔑 さぁ、ベイブリッジを「調査する」ぞ、と覚えよう！
☞ sur (上から) + vey (見る) → 見渡す

0391 □□□□□ □

survival
/sərváivəl/

名 生存 (者)、残存すること 動 **survive** 生き残る
▷ struggles for **survival** 生き残りをかけた闘い
▷ **survival** games[gears] サバイバル・ゲーム [用品]

🔊 サバイバルとは「(困難な状況を) 生き残ること」

072

0392 territory
/térətɔːri/

名 領土、(学問などの) 分野、テリトリー
▷ outside the **territory** 領土の外
▷ the enemy **territory** 敵地

⦿ テリトリーは日本語になっている

0393 trace
/tréis/

名 痕跡、ごくわずか 動 追跡する、(線などを) 描く
▷ disappear without a **trace** 跡かたなく消える
▷ **trace** a missing person 行方不明者を探し出す

🔑 足跡**とれい**! すぐ「追跡」だ、と覚えよう!
⦿ トレーシングペーパーとは (たどって) 複写するための紙のこと

0394 tragedy
/trǽdʒədi/

名 悲劇、悲惨な出来事 形 tragic 悲劇の
▷ the **tragedy** of war[fate] 戦争 [運命] の悲劇

🔑 知っ**とら**! 字では書けない「悲惨な出来事」、と覚えよう!

0395 translation
/trænsléiʃən/

名 翻訳、解釈 (≒ paraphrase) 動 translate 翻訳する
▷ a **translation** from English to Japanese 英日翻訳

☞ trans (超えて) + lat (運ぶ)
　→ (別の言語に意味を移すから) 翻訳

0396 trial
/tráiəl/

名 試み、裁判 形 試験的な 動 try 試す
▷ put him on **trial** 彼を裁判にかける
▷ a jury **trial** 陪審裁判

⦿ トライアルとは「試すこと」

0397 triumph
/tráiəmf/

名 勝利、大成功 (≒ victory) 動 勝利する
▷ celebrate the **triumph** 勝利を祝う
▷ the **triumph** of good over evil 悪に勝る善の勝利

🔑 [勝利] だ、敵のボスをひっ**とら** (え) **い**! **アン**! と覚えよう!

0398 unite
/juːnáit/

動 一体になる、団結する [させる] (≒ connect)
▷ **unite** the world 世界を一つにする
▷ **unite** against bullying いじめに立ち向かい団結する

🔑 **You!** (い) ないと困るよ、「団結し」よう、と覚えよう!
⦿ uni (1つ) を含む語

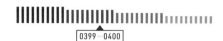

0399 □□□□□ □

utilize
/jú:t(ə)làiz/

動|利用する、活用する (≒ take advantage of)
▷ **utilize** the resources[empty space]
資源 [空きスペース] を活用する

💡「利用する」と言うてらぃ、と覚えよう！
☞ use は (単に) 使う、utilize は有効に使う、という意味

0400 □□□□□ □

vehicle
/ví:ikl/

名|(陸上の) 乗り物、伝達 [目的] 手段
▷ **vehicle** registrations 車両登録
▷ a **vehicle** for social change 社会変革の伝達手段

💡「車」の警笛ビービー狂う、と覚えよう！

類語をまとめてチェック！　　　形容詞編 ①

最重要 ★★★★

□ be **(beneficial, favorable, helpful, advantageous)** to our company
わが社にとってプラスになる

□ be **(anxious, worried, concerned)** about the future 将来のことを心配する

□ **(potential, possible, likely)** danger 起こりうる危険

□ a(n) **(proper, adequate, appropriate)** amount 適量

□ a **(sharp, dramatic, significant, remarkable, considerable)** increase 激増

□ **(efficient, competent, capable, able)** workers 有能な社員

□ **(faithful, loyal, devoted, dedicated, committed)** followers 忠実な信奉者

□ **(suspicious, doubtful)** looks 疑いの目つき

重要 ★★★★

□ **(modern, current, present, contemporary)** technology 現在のテクノロジー

□ be **(jealous, envious)** of his popularity 彼の人気を嫉む

- □ **(definitely, surely, certainly)** cause problems 必ず問題を引き起こす
- □ **(subtle, faint, delicate)** colors 淡い色
- □ a **(careful, cautious, alert)** driver 注意深い運転手
  —「注意深い取り扱い」は **(sensitive, careful, delicate, cautious)** handling
- □ **(effective, successful, powerful, helpful, beneficial, useful, practical)** marketing 効果的なマーケティング
- □ **(diverse, various, different)** cultures 多様な文化
- □ **(genuine, real, true, pure, authentic)** love 本当の愛
- □ **(emergency, urgent, immediate)** treatment 緊急の治療
- □ **(economic[financial])** problems 経済的 [財政的] 問題
- □ **(frequent[occasional])** visitors よく [たまに] 来る訪問者
- □ get some information **(beforehand, in advance)** 前もって情報を得る
- □ **(reliable, dependable)** workers 信頼できるワーカー
- □ **(scarce, limited, scanty)** resources 乏しい資源
- □ **(entire, whole, comprehensive, complete)** system 包括的システム
- □ **(complicated, complex)** problems 複雑な問題
- □ my **(previous, former)** address 旧住所
- □ an **(unstable, insecure)** position 不安定な地位
- □ **(regular, usual, normal)** activities いつもの活動
- □ be **(upset, furious, angry)** about the unfair treatment 不当な扱いに怒る
- □ be **(ignorant, unaware, unconscious)** of the danger その危険性を知らない
- □ (a) **(vacant, empty, unoccupied)** room 誰もいない部屋
- □ to a certain **(degree, extent)** ある程度

◀ Track 057

0401 □□□□□ □

accidentally
/æ̀ksədént(ə)li/

副 偶然に、誤って（≒ by accident, incidentally）
▷ The painting was **accidentally** damaged.
その絵画は誤って損傷した。

⟨外⟩ アクシデントとは「不慮の出来事」を指す

0402 □□□□□ □

account
/əkáunt/

動 (原因を) 説明する、占める　名 会計、説明、預金口座
▷ This product **accounts** for 50% of the sales.
この製品は売り上げの 50% を占める。
▷ open a bank **account** 銀行口座を開く

㊙ count (計算する) → (計算して支出などを) 説明する

0403 □□□□□ □

administration
/ədmìnistréiʃən/

名 政権、管理、運営陣（≒ government, management）
▷ business **administration** 経営管理
▷ the new **administration** 新政権

🔒 MBA (経営学修士) とは Master of Business Administration
のこと

0404 □□□□□ □

applause
/əplɔ́:z/

名 拍手喝采、称賛（≒ cheers）動 applaud 称賛する
▷ the **applause** of the audience 観客の拍手喝采
▷ a thunderous **applause** 嵐の如く盛大な拍手

🔒 さすがぁ、ブロー！ ずっと鳴りやまぬ「拍手」、と覚えよう！

0405 □□□□□ □

army
/á:rmi/

名 陸軍、(軍隊的な組織の) 大群　対 navy 海軍
▷ an **army** of ants 蟻の大群
▷ an **army** officer 陸軍士官

⟨外⟩ アーミーは「陸軍」、アーミーグリーンとは森や土となじむ「軍服
のような緑色」

0406 □□□□□ □

artificial
/à:rtəfíʃəl/

形 人工的な（≒ man-made）、わざとらしい
▷ **artificial** intelligence[flavors] 人工知能 [調味料]

☞ art (技) + fice (作る) → (技術で) 人工的に作った

0407 □□□□□ □

attend
/əténd/

動 出席する、世話をする　名 attendance 出席
▷ **attend** the meeting 会議に出席する
▷ **attend** a child[patient] 子供 [患者] の世話をする

⟨外⟩ フライトアテンダントは「航空機の添乗員」のこと

🔊 Track 058

0408 ⬜⬜⬜⬜⬜ ☐

billion
/bíljən/

名 10 億 形 10 億の 名 billionaire 億万長者
▷ **billions** of years ago[dollars] 何十億年も前に [何十億ドル]

☞ trillion は「兆」のこと

0409 ⬜⬜⬜⬜⬜ ☐

biology
/baiάlədʒi/

名 生物学、(動植物の) 生態 形 biological 生物の
▷ **biology** experiments[teachers] 生物の実験 [教員]

☞ bio (生命) + logy (学) → 生物学

0410 ⬜⬜⬜⬜⬜ ☐

capacity
/kəpǽsəti/

名 容量、能力 (≒ competence) 形 限度いっぱいの
▷ a **capacity** for work 作業能力
▷ a **capacity** crowd 満員の観客

🈂 会場のキャパ (シティ) とは「収容人数」のこと

0411 ⬜⬜⬜⬜⬜ ☐

cautious
/kɔ́:ʃəs/

形 慎重な、注意して (≒ careful, watchful)
副 cautiously 用心深く 名 caution 警戒
▷ a **cautious** approach[attitude] 慎重なアプローチ [態度]

🔈「注意し」なはれ、**こうしやす**、と覚えよう！

0412 ⬜⬜⬜⬜⬜ ☐

chase
/tʃéis/

動 追跡する、急ぐ (≒ follow, track) 名 追跡
名 chaser 追跡する人 [物]
▷ **chase** the car[the dream] 車 [夢] を追う

🈂 カーチェイスとは「車と車の壮絶な追跡」のこと

0413 ⬜⬜⬜⬜⬜ ☐

compliment
名/kάmpləmənt/
動/kάmpləmènt/

名 誉め言葉、動 賛辞を述べる (≒ praise)
形 complimentary 優待の、無料の
▷ Thank you for your **compliment**. お誉め頂きありがとうございます

☞ 誉めて心を com (完全に) + pli (満たす) と覚えよう。

0414 ⬜⬜⬜⬜⬜ ☐

congratulate
/kəngrǽtʃulèit/

動 祝う、喜ぶ 名 congratulation 祝辞
▷ **congratulate** him on his success 彼の成功を祝う

☞ con (共に) + gratul (喜び) → 祝う

◀)) Track 059

0415 □□□□□ □

considerable
/kənsídərəbl/

形 **相当な、重要な** 副 considerably かなり
▷ a **considerable** amount of money[time] 相当な大金 [時間]

源 consider (熟考する) の派生語

0416 □□□□□ □

crash
/krǽʃ/

動 **衝突する [させる]、壊す** (≒ smash)
名 **(車などの) 衝突** 形 突貫の
▷ a car **crash** 車の衝突事故 ▷ **crash** the party パーティに押し掛ける
▷ My computer **crashed**. パソコンが故障した。

☞ crash は破損すること、clash は調和せず、衝突すること、crush は押しつぶすこと

0417 □□□□□ □

critical
/krítikəl/

形 **批判的な、決定的な、重大な** (≒ crucial, vital)
▷ **critical** thinking skills 批判的思考力
▷ be in **critical** condition 重篤な状態である

🔒 くりって軽い?「決定的」に重い? と覚えよう!

0418 □□□□□ □

date
/déit/

動 **日付をつける、年代を示す** 名 **日付、デート**
▷ **date** a check 小切手に日付を入れる
▷ set the **date** 日取りを決める

🔒 彼とのデートの「日付」をチェック! と覚えよう!

0419 □□□□□ □

debate
/dibéit/

名 **討論 (会)** 動 **討論 [思案] する** 名 debater 討論者
▷ have a **debate** on the death penalty 死刑に関する討論をする

🔒 「討論会」で、べーっと舌でも出してやろうか、と覚えよう!
⊛ ディベートとは学校などで行われる「討論会」

0420 □□□□□ □

delete
/dilíːt/

動 **削除する** (≒ erase, remove) 名 **削除**
▷ **delete** my account[a file] アカウント [ファイル] を削除する

⊛ パソコンのデリートキーは「削除」キーのこと

0421 □□□□□ □

deprived
/dipráivd/

形 **恵まれない、乏しい** (≒ poor, lacking) 動 deprive 奪う
▷ **deprived** areas in London ロンドンの貧困地域
▷ He is **deprived** of sleep. 彼は睡眠を奪われている。

☞ de (完全に) + priv (私有) ➡ (私有化され) 奪われた

0422 □□□□□□ □

dismiss
/dismís/

動 解雇する、解散させる、却下する (≒ fire, lay off)
▷ dismiss the appeal 控訴を棄却する
▷ dismiss an employee 従業員を解雇する

🔟 何です? ミスして「首にする」? と覚えよう!

0423 □□□□□□ □

dramatic
/drəmǽtik/

形 劇的な、印象的な (≒ striking) 名 drama 演劇
▷ dramatic music 印象的な音楽
▷ a dramatic success 劇的な成功

🔟 ドラマチックな展開とは「(まるでドラマのような) 波乱万丈な」展開

0424 □□□□□□ □

edition
/idíʃən/

動 (刊行物の) 版 (≒ issue, version)
動 edit 編集する 名 editor 編集者
▷ a limited[the paperback] edition 限定 [文庫] 版

🔟 エディターが編集するからエディションという

0425 □□□□□□ □

enable
/inéibl/

動 可能にする [させる]、許可する 反 disable 無力にする
▷ enable him to access his account
　アカウントへのアクセスを許可する

☞ en (~にする) + able (可能) → 許可する

0426 □□□□□□ □

engagement
/ingéidʒmənt/

名 契約、婚約、(積極的な) 関与 (≒ appointment)
動 engage 従事する
▷ an engagement ring 婚約指輪
▷ political engagement 政治的関与

🔟 「契約」後、園芸じまんと行きますか、と覚えよう!

0427 □□□□□□ □

essential
/isénʃəl/

形 不可欠な、根本的な 名 essence 根本的要素
▷ essential amino acids 必須アミノ酸
▷ essential for success 成功に不可欠な

🔟 エッセンシャルオイルとは花などの成分を抽出して「本来の」効能を高めたオイル

0428 □□□□□□ □

eventually
/ivéntʃuəli/

副 結局、やがて (≒ finally, after all)
▷ She eventually finished the job. 彼女は最終的に仕事を終えた。

🔟 はや弁中、あり? 箸がないけど「結局」食べた、と覚えよう!

🔊 Track 061

0429 □□□□□□ □

exceed
/iksíːd/

動 **超える、突破する** (≒ go beyond)
▷ **exceed** the limit[the budget] 限界 [予算] を超える

☞ ex (外に) + ceed (進む) → 超える

0430 □□□□□□ □

except
/iksépt/

前 **〜を除いて** (≒ but)　名 **exception** 例外
▷ **except** for a few mistakes わずかな誤りを除いて
▷ **except** in an emergency 緊急の場合を除いて

☞ except (for)~ は「〜を除いて」だが、文頭では except for~ 、that 節や前置詞の前では except~ が用いられる

0431 □□□□□□ □

expense
/ikspéns/

名 **費用、(時間、労力などを) 費やすこと** (≒ costs)
travel[living] **expenses** 旅 [生活] 費

形 expensive (高価な) の名詞形
☞ ex (外に) + pense (重さを量る) → (量り分け) 支払うこと

0432 □□□□□□ □

extent
/ikstént/

名 **範囲、程度、広がり**　動 **extend** 広げる [がる]
▷ the **extent** of the damage 被害の範囲
▷ to some **extent** ある程度

☞ extent は「(広がった) 範囲、広さ」range は「(並べた) 範囲、分布」、degree は「(度合いの) 範囲、程度」

0433 □□□□□□ □

faith
/féiθ/

名 **信頼、信念** (≒ trust)　形 **faithful** 誠実な
▷ have **faith** in humanity[the government]
人類 [政府] に対する信頼を持つ
▷ religious **faith** 宗教的信仰心

☞ faith は「(理性、理屈を超えた) 信仰」、belief は「(証拠なく真実と) 信じること」

0434 □□□□□□ □

fare
/féər/

名 **運賃、出し物**　動 **(何かの形で) やっていく**
▷ a taxi[single] **fare** タクシー [片道] 料金
▷ **fare** well in the interview 面接でうまくやる

☞ fare は「運賃」、price は「商品価格」のこと

0435 □□□□□□ □

fee
/fíː/

名 **(弁護士などの専門職に支払う) 謝礼、会費**
▷ tuition[admission] **fees** 授業 [入場] 料

☞ fee は「専門職に対しての料金、報酬」、charge は「サービスに対する料金、手数料」

Track 062

0436 □□□□□□ □
fine
/fáin/

形 見事な、細かい 動 罰金を科す 名 罰金
▷ pay a **fine** 罰金を支払う
▷ a **fine** day 天気の良い日
▷ **fine** powder snow 粉雪

☞「素晴らしい」と「細かい」など意味の範囲に要注意！

0437 □□□□□□ □
flavor
/fléivər/

名 味、特色、趣 形 flavored 風味付けされた
▷ the **flavor** of coffee コーヒーの味
▷ artificial **flavors** 人工調味料

🔑 コショーふれいば「風味」良くなる、と覚えよう！

0438 □□□□□□ □
former
/fɔ́ːrmər/

形 以前の、元 (≒ past, preceding) 名 構成者［物］
副 formerly 以前は
▷ a **former** president 元大統領
▷ **former** names 旧名称

☞ former (前者) に対して latter (後者)

0439 □□□□□□ □
found
/fáund/

動 創立する (≒ establish, set up) 名 foundation 基礎、創立
▷ **found** a company[a church] 会社［教会］を設立する

🔑 メイクのファンデーションは肌の「下地」作り

0440 □□□□□□ □
frighten
/fráitn/

動 怖がる［らせる］(≒ scare, terrify)
▷ I am **frightened** by the dark. 私は暗闇を恐れている。

🔑 [恐怖] でフラ**フラ手**にしがみつく、と覚えよう！

0441 □□□□□□ □
fuel
/fjúːəl/

名 燃料、(感情などを) あおるもの 動 あおる
▷ **fuel** the argument 議論をあおる
▷ nuclear **fuel** 核燃料

🔑 どんどん**ふえる**よ「燃料」費、と覚えよう！

0442 □□□□□□ □
fulfill
/fulfíl/

動 実現させる、満たす (≒ satisfy, realize)
名 fulfillment 成就
▷ **fulfill** the requirement 要求を満たす
▷ **fulfill** my dream 夢を叶える

☞ ful (完全に) + fill (満たす) → 実現させる

0443 □□□□□ □

gap
/gǽp/

名 **隔たり、すき間** (≒ blank, crack)
▷ a gender[generation] **gap** 男女 [世代] 格差

外 ギャップは日本語になっている

0444 □□□□□ □

general
/dʒén(ə)rəl/

形 **全体的な、一般向けの** (≒ common, universal)
副 **generally** 一般的に
▷ the **general** information 総合案内 ▷ a **general** assembly 総会

☞ アメリカの GM (ゼネラル・モーターズ) 社は一般向けの車を作る自動車メーカー

0445 □□□□□ □

horizon
/həráizn/

名 **地 [水] 平線、限界** 形 **horizontal** 水平な
▷ the moon above the **horizon** 水平線の上にある月

🔑 ほら、伊豆の温泉「水平線」が見えるよ、と覚えよう!

0446 □□□□□ □

humidity
/hju:mídəti/

名 **(空気中の) 湿度、高温多湿の気候** (≒ moisture)
形 **humid** 湿気のある
▷ air[room] **humidity** 空気中 [部屋] の湿度

🔑 ヒューヒュー目立って「湿度」が高い、と覚えよう!

0447 □□□□□ □

image
/ímidʒ/

名 **イメージ、像** 動 **想像する** (≒ visualize)
▷ a public **image** 大衆のイメージ
▷ a Buddha **image** 仏像

外 イメージはおなじみの日本語

0448 □□□□□ □

immigrant
/ímigrənt/

名 **(外国からの) 移民** 形 **移住の** 動 **immigrate** 移住する
▷ **immigrant** communities[visas] 移民コミュニティ [ビザ]
▷ illegal **immigrants** 不法移民

☞ im (中に) + migr (移住する) → immigrant (自国への移民)、e (外へ) + migr (移住する) → emigrant (外国への移民)

0449 □□□□□ □

infant
/ínfənt/

名 **幼児、赤ん坊** (≒ very young child, baby)
▷ an **infant** death[mortality] rate 乳児死亡率

🔑 2 歳以下の子供の事をいう

0450 ☐☐☐☐☐☐　☐

initial
/iníʃəl/

形 最初の　動 頭文字を記す　副 initially 初めに
▷ initial letters[impressions] 頭文字、最初の [印象]

㊗ イニシャルは特に「名前の頭文字」を指す

0451 ☐☐☐☐☐☐　☐

install
/instɔ́:l/

動 (職、地位に) 就任させる、導入する (≒ set up, invest)
名 installation 設置
▷ install an application アプリをインストールする
▷ install a camera カメラを設置する

㊗ アプリをインストールするとは、端末にアプリを入れること

0452 ☐☐☐☐☐☐　☐

insult
動/insʌ́lt/ 名/ínsʌlt/

動 (人を) 侮辱する (≒ offend) 名 無礼なこと
形 insulting 失礼な
▷ insult the poor 貧しい人々を侮辱する
▷ insulting comments 失礼なコメント

🔓 委員、反ると「失礼」だよ、と覚えよう!
☞ in (上へ) + sult (跳ぶ) → (跳びかかって) 無礼を働くこと

0453 ☐☐☐☐☐☐　☐

investment
/invéstmənt/

名 投資、(地位などの) 授与　動 invest 出資する
▷ an investment bank[amount] 投資銀行 [額]
▷ make an investment 投資する

🔓 良いんべ (で) す! と、面と向かって株「投資」、と覚えよう!

0454 ☐☐☐☐☐☐　☐

launch
/lɔ́:ntʃ/

動 着手する、発進させる　名 (新造船の) 進水
▷ launch a business 商売を始める
▷ launch a rocket ロケットを発射する

🔓 ローン小さく事業に「着手」、と覚えよう!

0455 ☐☐☐☐☐☐　☐

lower
/lóuər/

動 (価値、程度が [を]) 下がる [下げる]
　(≒ bring down, turn down)
▷ lower the price[the temperature] 値段 [気温] を下げる

🔓 がんばろう! ワーッと「下がる」よ、僕の価値、と覚えよう!

0456 ☐☐☐☐☐☐　☐

luggage
/lʌ́giʤ/

名 (旅行時の) 手荷物、旅行かばん (≒ baggage)
▷ a luggage claim area 手荷物受取所

☞ 「手荷物」は、イギリスでは luggage、アメリカでは baggage、また baggage は「(精神的な) 重荷」の意味がある

◀))) Track 065

0457 □□□□□□ □

manner
/mǽnər/

名 **方法、(複数形で) 礼儀、マナー** (≒ custom, method)
▷ a **manner** of speaking 話し方
▷ formal table **manners** 正式のテーブルマナー

(外) 携帯のマナーモードは公共の場での「礼儀」を守るため音に配慮した機能のこと

0458 □□□□□□ □

manufacture
/mæ̀njufǽktʃər/

名 **製造、製品** 動 **(機械で大量に) 製造する**
▷ the **manufacture** of steel 鉄鋼の製造
▷ **manufactured** products 製品

☞ manu (手) + fact (作る) → 製品

0459 □□□□□□ □

mental
/méntl/

形 **精神の、知能の** 副 **mentally** 精神的に 反 **physical** 身体の
▷ **mental** health[damage] 精神衛生、精神的 [ダメージ]

(外) メンタルが強いとは「精神」が強靭なこと

0460 □□□□□□ □

mere
/míər/

形 **単なる、(数量、金額などが) わずか** (≒ only) 副 **merely** 単に
▷ a **mere** coincidence 単なる偶然
▷ at the **mere** sight of you あなたを見ただけで

☞ merely は「(純粋に) ただ〜だけ」、only は「(唯一) 単に〜だけ」、just は「(正確に) ちょうど〜だけ」

0461 □□□□□□ □

modify
/mάdəfài/

動 **修正する** (≒ alter) 名 **modification** 修正
▷ genetically **modified** foods 遺伝子組換え食品
▷ **modify** a program[a document] プログラム [書類] を修正する

☞ mode (様式化) + fy (する) → (様式を) 変更する

0462 □□□□□□ □

nation
/néiʃən/

名 **国家** 形 **national** 国民の 名 **nationality** 国籍
▷ foreign **nations** 諸外国
▷ **nation**-building 建国

(源) natio (生まれ) が含まれる語
おねいしょは「国」民病、と覚えよう!

0463 □□□□□□ □

neglect
/niglékt/

動 **無視する、おろそかにする** (≒ ignore)
▷ **neglected** children 育児放棄された子供
▷ **neglect** his duty 義務を怠る

☞ neg (否定) + lect (集める) → (集めないで) 放って置く

🔊 Track 066

0464 ☐☐☐☐☐☐ ☐

obvious

/ábviəs/

形 **明白な** (≒ clear, apparent)
副 **obviously** 明らかに、言うまでもなく (≒ clearly, apparently)
▷ an **obvious** reason[answer] あきらかな理由 [答え]

💡 この**帯安売り**「明らかな」、と覚えよう！

0465 ☐☐☐☐☐☐ ☐

overcome

/òuvəkám/

動 **克服する、制覇する** (≒ get over, conquer)
▷ **overcome** fear and anxiety 恐怖と不安を乗り越える

語源 come over (乗り越える) から来た語

0466 ☐☐☐☐☐☐ ☐

percentage

/pərséntidʒ/

動 **割合、(競技などの) 勝算、利益** (≒ share)
▷ the body fat **percentage** 体脂肪率
▷ the **percentage** of winning 勝率

外 パーセンテージは「割合」のこと

0467 ☐☐☐☐☐☐ ☐

personal

/pə́ːrs(ə)nl/

形 **個人の、本人の** (≒ private, individual)
名 **personality** 個性 副 **personally** 個人的に
▷ **personal** belongings[affairs] 私物 [事]

外 パソコン (personal computer) は「個人用コンピューター」

0468 ☐☐☐☐☐☐ ☐

phenomenon

/finámənàn/

名 **現象、驚異的なもの** ＊複数形 phenomena
▷ a natural[physical] **phenomenon** 自然 [物理] 現象

💡 ふえ飲むなんて、「驚異の現象」！ と覚えよう！

0469 ☐☐☐☐☐☐ ☐

polish

/páliʃ/

動 **磨く、仕上げをする** 名 **光沢、洗練**
▷ **polish** a metal surface 金属の表面を磨く
▷ **polish** his skill 技を磨く

外 ネイルポリッシュは爪に光沢を与える塗料

0470 ☐☐☐☐☐☐ ☐

polite

/pəláit/

形 **礼儀正しい、上品な** 副 **politely** 丁寧に
▷ **polite** comments[manners] 礼儀正しいコメント [作法]

語源 polish (磨く) と同じ語源 → (磨いて) 洗練した

085

● Track 067

0471 ☐☐☐☐☐ ☐

political
/pəlítikəl/

形 政治の、政略的な 名 politics 政治学
▷ a **political** campaign[leader] 政治運動 [指導者]

☞ polit (政治) + ical (～に関する) → 政治の

0472 ☐☐☐☐☐ ☐

positive
/pázətiv/

形 楽観的な、肯定的な (≒ affirmative)
副 positively 前向きに 反 negative 悲観的な
▷ a **positive** attitude towards learning 学ぶことへの前向きな姿勢
▷ **positive** aspects of social media ソーシャルメディアの良い側面

外 ポジティブとは「前向き」なこと

0473 ☐☐☐☐☐ ☐

poverty
/pávərti/

名 貧困、欠乏 形 poor 貧しい
▷ live in **poverty** 貧困生活をする
▷ fight **poverty** 貧困と戦う

源 poor (貧しい) の名詞形なので要注意!

0474 ☐☐☐☐☐ ☐

prefer
/prifə́:r/

動 (～の方を) 好む (≒ favor) 名 preference 優先
▷ **prefer** coffee to tea お茶よりコーヒーを好む

☞ It's a matter of preference. 「好きずきだ」は決まり文句として よく使われる

0475 ☐☐☐☐☐ ☐

pregnant
/prégnənt/

形 妊娠した、含蓄のある 名 pregnancy 妊娠
▷ a **pregnant** woman 妊婦
▷ be **pregnant** with meaning (言葉が) 含蓄のある

☞ pre (前) + gnant (生まれる) → 妊娠した

0476 ☐☐☐☐☐ ☐

prejudice
/prédʒədəs/

名 偏見 (≒ bias) 形 prejudiced 偏見のある
▷ have a **prejudice** against foreigners 外国人に偏見を持つ

☞ pre (前もって) + jud (判断する) より

0477 ☐☐☐☐☐ ☐

present
動/prizént/ 形 名/prézənt/

動 贈る、出席する 形 現在の 名 現在、贈り物
▷ **present** an award 表彰する
▷ at **present** 現在

☞ pre (前に) + es (存在する) → (目の前にある) 贈り物

🔊 Track 068

0478 □□□□□ □

primitive
/prímətiv/

形 原始の、旧式の、根元的な (≒ elementary)
▷ **primitive** tribes[tools, forms of life]
原始的な部族 [道具、生命体]

☞ prim (最初) + itive (性質の) → 原始的な

0479 □□□□□ □

principle
/prínsəpl/

名 原理、法則 (≒ law) 形名 **principal** 主要な、校長
▷ guiding **principles** 指導原則
▷ the **principle** of physics 物理の法則

⑲ prince は王位継承第一位 → 「(根本の) 原理」

0480 □□□□□ □

proper
/prάpər/

形 適切な、正確な (≒ appropriate, exact)
副 **properly** きちんと
▷ **proper** qualifications[prices] 適切な資格 [価格]

⑲ appropriate (適切な) と同じく prop (自分の) が含まれる語
→ 「(自分に合って) 適切な」

0481 □□□□□ □

prosper
/prάspər/

動 繁栄する、成功する (≒ thrive) 形 **prosperous** 繁栄した
▷ **prosper** in business 商売が繁盛する
🔒 プロスパーと商談まとめて商売「繁盛」！

0482 □□□□□ □

punishment
/pΛniʃmənt/

名 刑罰、折檻 (≒ abuse) 動 **punish** 罰する
▷ capital **punishment** 極刑
▷ a severe **punishment** for drunk driving 飲酒運転に対する厳罰

🔒 甲板二周、麺とスープ運ぶ「刑罰」、と覚えよう！

0483 □□□□□ □

qualify
/kwάləfài/

動 資格を得る、適任とする (≒ certify)
▷ **qualified** applicants[teachers] 資格のある応募者 [教員]

☞ quali (品質) + fy (する) → 資格を得る

0484 □□□□□ □

recipe
/résəpi/

名 料理法、秘訣、(薬の) 処方箋 (≒ formula)
▷ **recipes** for chicken 鶏肉の料理法
▷ a **recipe** for economic growth 経済成長のための方策

⑭ レシピとは「料理法」を指すことが多い

🔊 Track 069

0485 ☐☐☐☐☐ ☐
remark
/rimάːrk/

名 注目 動 述べる (≒ mention)
▷ general[rude] **remarks** 一般的な [失礼な] 発言

☞ remarkable は remark + able で「特筆すべき」

0486 ☐☐☐☐☐ ☐
restrict
/ristríkt/

動 (自由、活動を) 制限する、限定する (≒ limit)
▷ The access is **restricted**. アクセスは制限されている。

☞ re (再び) + strict (厳しく) → 制限する

0487 ☐☐☐☐☐ ☐
resume
/riz(j)úːm/

動 再開する 名 [rézumèi] 履歴書、要約
▷ **resume** peace talks 和平交渉を再開する
▷ **resume** a relationship 関係を回復する

☞ re (再び) + sume (取り上げる) → 再開する
⑳ レジュメは「要約」のこと

0488 ☐☐☐☐☐ ☐
routine
/ruːtíːn/

名 決められた手順、繰り返されるもの、日課
▷ a **routine** operation[procedure] 通常の業務 [手順]

⑳ 独特のルーティンを持つスポーツ選手は多い
㊙ route (旅慣れた道) より

0489 ☐☐☐☐☐ ☐
sacrifice
/sǽkrəfàis/

動 犠牲にする、捧げる 名 犠牲 (にすること)
▷ **sacrifice** the weak 弱者を犠牲にする
▷ make **sacrifices** for others 他人のために犠牲を払う

㊙ sacred (神性) を含む語、神への畏敬から「捧げる」

0490 ☐☐☐☐☐ ☐
sensitive
/sénsətiv/

形 敏感な、感覚のある 名 sense 感覚
▷ a **sensitive** issue[skin] 敏感な問題 [肌]

☞ sens (感じる) + itive (傾向) → 敏感な
sens (感じる) + ible (可能) → 知覚できる

0491 ☐☐☐☐☐ ☐
specific
/spisífik/

形 特定の、具体的な (≒ particular)
動 specify 詳細に指定 [明記] する
▷ **specific** aims[age groups] 特定の目的 [年齢層]

㊙ special (特別な) と同じ語源

0492 □□□□□ □

stable
/stéibl/

形 **安定した、決心の固い** (≒ unchanging, firm)
▷ a **stable** economy[job] 安定した経済 [仕事]

(㊢) stand (立つ) と同じ語源 → 「安定して (立って) いる」

0493 □□□□□□ □

stretch
/strétʃ/

動 **伸びる、引き伸ばす** (≒ extend) 名 **伸び**
▷ **stretch** the muscles 筋肉を伸ばす
▷ **stretch** the boundary of production 生産の限界を広げる
▷ **stretch** the truth 真実を誇張する

(外) ストレッチは「(身体や布などの) 伸び」

0494 □□□□□ □

struggle
/strʌ́gl/

動 **奮闘する、取り組む** 名 **奮闘** (≒ battle)
▷ **struggle** to escape from poverty 貧困から脱却しようとする
▷ **struggle** for democracy 民主化のために闘う

(㊢) str はピンと力が入った状態、strength (強度)、straight (直線の) にも含まれる

0495 □□□□□ □

transmission
/trænsmíʃən/

名 **伝送、変速機** 動 transmit 送る、伝える
▷ data **transmission** on the Internet ネット上のデータ送信
▷ the **transmission** of money 送金

(㊢) trans (超えて) + mission (送ること) → 伝送

0496 □□□□□ □

trustworthy
/trʌ́stwə̀ːrði/

形 **信用できる、頼もしい** (≒ reliable, dependable)
▷ a **trustworthy** company[friend] 信頼できる会社 [友人]

(㊢) trust (信頼) + worth (価値) → 信頼に値する

0497 □□□□□ □

victim
/víktim/

名 **(事故、災害などの) 犠牲者、(流行などの) とりこ**
　　(≒ sacrifice)
▷ **victims** of crime[the war, the disaster]
　犯罪 [戦争、災害] の犠牲者

(㊙) 災害にびくとむ (も) しない「犠牲者」、と覚えよう!

0498 □□□□□ □

wealth
/wélθ/

名 **富、裕福** (≒ fortune) 形 wealthy 裕福な
▷ a desire for **wealth** 富への欲求
▷ build a huge **wealth** 巨万の富を築く

(㊢) 人は wealth (富) と health (健康) を希求する

Group 5			

Group 5
100 / 100
重要レベル ★ ★ ☆ ☆

0499—0500

0499 ☐☐☐☐☐☐ ☐

wipe
/wáip/

動 拭く、一掃する（≒ mop, erase）名 (化学) 雑巾
▷ **wipe** off the dust 埃をはらう
▷ **wipe** out the data データを消し去る

㊙ ワイパーとは「汚れを拭くもの」

0500 ☐☐☐☐☐☐ ☐

wound
/wúːnd/

名 傷（≒ injury, cut）動 傷を負わせる、負傷する
形 名 wounded 負傷した [者]
▷ **wounded** soldiers 負傷兵
▷ knife **wounds** (ナイフによる)刺し傷

㊙ 運動中の「傷」が**うーんど**るよ、と覚えよう！

類語をまとめてチェック！ 形容詞編 ②

最重要 ★★★★

☐ be **(devoted, dedicated, committed)** to my work 仕事に献身する

☐ a(n) **(impressive, spectacular, outstanding, marvelous, fascinating, amazing)** performance 素晴らしいパフォーマンス

☐ play a(n) **(vital, important, critical, crucial, significant)** role 重要な役割を果たす

☐ **(enormous, tremendous, immense, huge, extensive, extreme, acute, extraordinary)** damage 多大な被害

☐ a **(rapid, prompt, swift)** response 素早い反応

☐ a **(depressed, disappointed, discouraged[sorrowful, miserable])** expression 落ち込んだ [哀れな]表情

☐ a(n) **(evil, wicked, awful, disgusting, horrible, terrible)** crime ひどい犯罪

☐ a **(severe, harsh, cruel, strict, brutal, merciless)** punishment 厳しい罰

☐ **(accurate, exact, correct, precise)** data 正確なデータ

□ a(n) **(enthusiastic, passionate, eager, earnest, diligent)** teacher 熱心な教師

□ a(n) **(acute, intense, violent, keen, fierce)** pain 激しい痛み

□ a(n) **(clear, apparent, obvious)** reason 明白な理由

□ a(n) **(vague, ambiguous, obscure, unclear)** statement あいまいな発言

□ a **(peculiar, unusual, strange, eccentric)** character 変わった性格

□ a(n) **(ridiculous, absurd, foolish, silly)** idea 馬鹿げた考え

□ **(generous, considerate, affectionate, thoughtful, sympathetic)** care 思いやりのある世話

□ a **(calm, serene, tranquil)** lake 穏やかな湖

□ a(n) **(entertaining, exciting, amusing, thrilling)** story おもしろい話

□ **(harmful, poisonous, toxic, injurious)** gases 有害なガス

□ **(precious, valuable, priceless)** information 価値ある情報

重要 ★★★★

□ a(n) **(rigid, inflexible, stubborn)** system 凝り固まった制度

□ a(n) **(lively, energetic, dynamic, active)** dance 活気のあるダンス

□ a **(solid, firm, stiff)** foundation しっかりした土台

□ a(n) **(unreliable, irresponsible)** leader 頼りないリーダー

□ a(n) **(wise, sensible, intelligent, smart)** decision 賢明な決断

□ **(moderate, mild, modest)** exercise 軽い運動

□ be **(delighted, excited, thrilled)** with the news その知らせにワクワクする

□ a **(horrible, frightening, fearful)** experience 恐ろしい経験

□ a **(brave, bold, courageous, fearless)** fighter 勇敢な戦士

□ a **(slender, slim, thin)** body 細い体

□ a(n) **(exhausting, challenging, tiring)** job 骨の折れる仕事

□ a **(gorgeous, luxury, luxurious)** hotel 豪勢なホテル

━━● Track 071 ━━

0501 ☐☐☐☐☐ ☐

absurd
/æbsə́:rd/

形 **ばかげた、不条理な** (≒ ridiculous, senseless)
▷ an **absurd** idea[reason] ばかげた考え [理由]

🔈 あ、武装? どいつだ?「ばかげた」ことを、と覚えよう!

0502 ☐☐☐☐☐ ☐

abuse
名/əbjúːs/ 動/əbjúːz/

名 **乱用、虐待** 動 **乱用する、虐待する** (≒ misuse, harm)
形 **abusive** 虐待の
▷ drug **abuse** 薬物乱用
▷ child **abuse** 子供の虐待

🔤 ab (離れて) + use (使用する) → (逸脱して) 乱用すること

0503 ☐☐☐☐☐ ☐

adequate
/ǽdikwət/

形 **適切な、十分な** (≒ enough, suitable)
▷ **adequate** exercise 適度の運動
▷ **adequate** diet 適切な食事

🔈 アジ食えと「適切な」アドバイス、と覚えよう!

0504 ☐☐☐☐☐ ☐

affection
/əfékʃən/

名 **愛情** 形 **affectionate** 愛情のこもった
▷ have a deep **affection** for my country 自国に深い愛着がある

🔈 あ、ふぇっくしょん!「愛情」不足で風邪ひいた、と覚えよう!

0505 ☐☐☐☐☐ ☐

allergy
/ǽlərdʒi/

名 **アレルギー** 形 **allergic** アレルギー性の、大嫌いで
▷ a food **allergy** 食物アレルギー
▷ an **allergy** disease アレルギー疾患

🌐 アレルギーは日本語になっている

0506 ☐☐☐☐☐ ☐

altitude
/ǽltət(j)ùːd/

名 **(海面、底辺からの) 高さ、高い地位**
▷ a high-**altitude** mountain 標高の高い山

🔤 alti (高い) + tude (こと) → 高度、
声楽でアルトはテノールより音域が高い

0507 ☐☐☐☐☐ ☐

arise
/əráiz/

動 **(問題などが) 生じる、浮かび上がる**
(≒ take place, occur, come up)
▷ The problem **arose** from a lack of communication.
コミュニケーション不足から問題が生じた。

🔤 a (強意) + rise (上がる) → 生じる

🔊 Track 072

0508 □□□□□□ □

assert
/əsə́:rt/

動 断言する、(権利などを) 主張する (≒ claim, insist on)
名 assertion 断定
▷ assert the human rights 人権を主張する

🔊 お風呂は絶対、朝ー! と「主張する」、と覚えよう!

0509 □□□□□□ □

authority
/əθɔ́:rəti/

名 権威、官庁、権 (≒ power) 動 authorize 権限を与える
▷ the local[parental] authorities 地方自治体、[親] 権
▷ an authority on economics 経済学の権威

🔊 おー、剃りてーすね毛脱毛の「権威」
㊙ 同じ語源の author (著者) は権威ある書物を創作する人

0510 □□□□□□ □

bleed
/blí:d/

動 出血する、(液体などを) 抜き取る (≒ drain) 名 出血
▷ Your nose is bleeding. 鼻血が出ているよ。

🔊 ブリブリー、どんどん鼻「血が出てくる」よ、と覚えよう!

0511 □□□□□□ □

blossom
/blɑ́səm/

名 (果樹の) 花 (≒ flower)、(成長の) 初期 動 栄える
▷ cherry blossoms 桜の花
▷ in (full) blossom 花盛りで

🔊 水ブロさむっ! 桜の「花」が咲くころなのに、と覚えよう!

0512 □□□□□□ □

bump
/bʌ́mp/

動 突き当たる、ぶつける (≒ hit, crash)
名 隆起、たんこぶ
▷ bump into each other 鉢合わせする
▷ bump a car 車をぶつける

🔊 バン (ブ) ッ! と「ぶつかり」、「こぶ」できた、と覚えよう!

0513 □□□□□□ □

championship
/tʃǽmpiənʃ ìp/

名 選手権大会、優勝 (者の名誉) (≒ title)
▷ win the world championship 世界選手権で優勝する
▷ a championship tournament 優勝戦

🔊 チャンピオン湿布して「優勝」、と覚えよう!

0514 □□□□□□ □

chemical
/kémikəl/

形 化学的な 名 化学物質 名 chemistry 化学
▷ chemical weapons[plants] 化学兵器 [工場]

🔊 あけみ、軽いね、「化学の」テスト、と覚えよう!

◀))) Track 073

0515 ☐☐☐☐☐☐ ☐

civil
/sívəl/

形 **市民の、丁寧な** 動 civilize 文明化する
▷ a **civil** war 内戦
▷ the **civil** service 公務員
▷ a **civil** law 民法

🔒 よし！ ビル行こう、「市民の」憩いの場、と覚えよう！

0516 ☐☐☐☐☐☐ ☐

clue
/klú:/

名 **(解決のための) 手掛かり、ヒント** (≒ hint)
▷ a **clue** to the solution to the problem 問題解決の糸口

🔒 手がかり探しに「狂う」警察、と覚えよう！

0517 ☐☐☐☐☐☐ ☐

committee
/kəmíti/

名 **委員 (会)** 動 commit 委託する
▷ a budget **committee** 予算委員会
▷ a **committee** chairperson 委員長

🗣 「委員会」のことをコミティー [コミッティ] と言う

0518 ☐☐☐☐☐☐ ☐

complicated
/kámpləkèitid/

形 **複雑な、面倒な** (≒ difficult, complex)
動 complicate 複雑にする 名 complication 混乱
▷ **complicated** relationships[problems] 複雑な関係 [問題]

☞ com (一緒に) + plicate (重ねる) → 複雑な、
　 com (一緒に) + plex (織られた) → 複雑な

0519 ☐☐☐☐☐☐ ☐

conquer
/kánkər/

動 **征服する、克服する** (≒ defeat, overcome)
▷ **conquer** the world[the enemy] 世界 [敵] を征服する

🔒 矢でも鉄砲でも来んかー！「征服」じゃあ！ と覚えよう！

0520 ☐☐☐☐☐☐ ☐

consequence
/kánsəkwèns/

名 **結果、影響** (≒ effect) 形 consequent 結果の
▷ **consequences** of environmental pollution 環境汚染の影響
▷ unexpected **consequences** 予期せぬ結果

☞ con (一緒に) + sequence (後続すること) → (続いた) 結果

0521 ☐☐☐☐☐☐ ☐

contain
/kəntéin/

動 **含む、抑える** (≒ include) 名 container 容器
▷ **contain** vitamins ビタミンを含む
▷ **contain** his anger 彼の怒りを抑える

☞ con (一緒に) + tain (保つ) → 含む
🗣 コンテナは小物用から貨物用までの様々な「容器」のこと

◀))) Track 074

0522 □□□□□□ □

continental
/kὰnt(ə)néntl/

形 **大陸の** 名 continent 大陸
▷ **continental** climates[culture] 大陸の気候 [文化]

〈外〉コンチネンタル・ブレックファストは「ヨーロッパ大陸風の」朝食

0523 □□□□□□ □

cooperation
/kouὰpəréiʃən/

名 **協力、提携** (≒ working together) 形 cooperate 協力する
▷ in **cooperation** with the artist アーティストと共同で

☞ co (共に) + operat (働く) + ion → 協力
Thank you for your cooperation. は協力を促したり協力に感謝する時に用いられる

0524 □□□□□□ □

creature
/kríːtʃər/

名 **生物、架空の動物** (≒ a living thing)
動 create 創造する 名 creation 創造 [物]
▷ deep sea[intelligent] **creatures** 深海 [知的] 生物

☞ create (創造される) + ure (もの) → 生物

0525 □□□□□□ □

departure
/dipάːrtʃər/

名 **出発、離脱** (≒ exit, leaving) 対 arrival 到着
▷ postpone his **departure** 彼の出発を延期する

☞ 空港の「出発」ゲートを departure gate、「到着」ゲートを arrival gate という

0526 □□□□□□ □

derive
/diráiv/

動 **由来、導き出す** (≒ draw, originate)
▷ The word is **derived** from Latin[Greek].
その単語はラテン語 [ギリシャ語] に由来したものだ。

🔒 早く出らい! 無事に「引き出せ」! と覚えよう!

0527 □□□□□□ □

dinosaur
/dáinəsɔ̀ːr/

名 **恐竜、巨大で時代遅れなもの**
▷ fossils[the extinction] of **dinosaurs** 恐竜の化石 [絶滅]

🔒「恐竜」博士の偉大な祖父、と覚えよう!
☞ dino (恐ろしい) + saur (とかげ) → 恐竜

0528 □□□□□□ □

donate
/dóuneit/

動 **寄付する、提供する** (≒ contribute) 名 donation 寄付
▷ **donate** blood[money] 献血 [金] する

🔒「寄付」が今度ねぇと破産だ! と覚えよう!
〈外〉ドネーションをする人をドナーと言う

095

🔊 Track 075

0529 □□□□□□ □

dormitory
/dɔ́ːrmətɔ̀ːri/

名 **(学校などの) 寮** 名 dorm [米口語で] 学寮
▷ college **dormitories** 大学寮
▷ a **dormitory** life 寮生活

🔎 どう? 見取り図、「寮」に忘れた? と覚えよう!

0530 □□□□□□ □

education
/èdʒukéiʃən/

名 **教育** (≒ training) 動 educate 教育する
▷ higher **education** in Japan 日本の高等教育

〈外〉エデュケーションは日本語になっている
☞ e (外へ) + duc (導く) → 能力を導き出す (教育)

0531 □□□□□□ □

enormous
/inɔ́ːrməs/

形 **巨大な、膨大な** (≒ huge) 副 enormously 桁違いに
▷ an **enormous** amount of time[money, work]
　膨大な時間 [お金、仕事]

☞ e (外に) + norm (基準) → (基準から外れた) 膨大な

0532 □□□□□□ □

evaluation
/ivæljuéiʃən/

名 **評価、診断、見積もり** (≒ estimation, judgement)
動 evaluate 評価する
▷ carry out an **evaluation** of the project プロジェクトの評価を行う

☞ e (外に) + value (価値) → 評価

0533 □□□□□□ □

existence
/igzíst(ə)ns/

名 **存在、生存** (≒ being) 動 exist 存在する
▷ A new species has come into **existence**. 新種が生まれた。

☞ ex (外へ) + sist (立つ) + ence (もの) → 存在

0534 □□□□□□ □

explosion
/iksplóuʒən/

名 **爆発、急激な増加** (≒ blast, burst)
動 explode 爆発する 形 explosive 爆発的な
▷ a nuclear **explosion** 核爆発
▷ a population **explosion** 人口爆発

🔎 いかすプロジャン! 才能「爆発」! と覚えよう!

0535 □□□□□□ □

fair
/féər/

形 **公平な、汚れない、相当な** (≒ just, fine) 形 fairly かなり
▷ a **fair** price 公正な価格
▷ a **fair** complexion 色白の肌

〈外〉フェアプレイとは「公正な」勝負を意味する

🔊 Track 076

0536 ☐☐☐☐☐ ☐

favorable
/féiv(ə)rəbl/

形 **好都合な、賛成の** (≒ helpful, beneficial)
▷ a **favorable** response[opinion] 好意的な反応 [意見]

源 favor (好み)、favorite (お気に入りの) から類推できる語

0537 ☐☐☐☐☐ ☐

feed
/fíːd/

動 **餌をやる、供給する** 名 **食事の供給**
▷ **feed** a bird 鳥に餌をやる
▷ **feed** the fire with wood 薪をくべて火をあおる

源 food (食物) からの派生語
外 フィードバックとは feed (供給) に対して back (戻る) 反応のこと

0538 ☐☐☐☐☐ ☐

fiction
/fíkʃən/

名 **創作、作り話** (≒ novel)
形 **fictional** 虚構の 反 **nonfiction** ノンフィクション
▷ science **fiction** movies SF 映画
▷ a non-**fiction** writer ノンフィクション作家

外 フィクションは「創作された物語」、ノンフィクションは「実話」を指す

0539 ☐☐☐☐☐ ☐

formation
/fɔːrméiʃən/

名 **構成、成立、隊形** (≒ composition, pattern)
▷ march in **formation** 隊を組んで行進する
▷ the **formation** of a cabinet 組閣

☞ form (形) + ation (すること) → 構成

0540 ☐☐☐☐☐ ☐

freeze
/fríːz/

動 **凍結する、(恐怖で) 動けなくする** 形 **frozen** 凍りついた
▷ the **freezing** cold weather 凍てつく寒さ
▷ The lake has **frozen** overnight. 湖が一夜で凍結した。

外 フリーザーとは「冷凍庫」のこと
☞ ディズニー映画「アナと雪の女王」の原題は「Frozen」

0541 ☐☐☐☐☐ ☐

genuine
/dʒénjuin/

形 **正真正銘の、純粋な** (≒ true, real)
▷ **genuine** products[feelings] 純正品、偽りない [気持ち]

🔊 こりゃ「正真正銘の」病気じゃ、入院しろ! と覚えよう!

0542 ☐☐☐☐☐ ☐

gravity
/grǽvəti/

名 **重力、重大さ** (≒ force, seriousness)
▷ the center of **gravity** 重心

源 grave (重大な) を含む語

097

🔊 Track 077

0543 ☐☐☐☐☐☐ ☐

hardship
/háːrdʃìp/

名 困難、辛苦 (≒ difficulty, suffering)
▷ the **hardships** of life[poverty] 生活 [貧困] の苦しみ

☞ hard (困難な) + ship (状態) → 困難

0544 ☐☐☐☐☐☐ ☐

hospitality
/hàspətǽləti/

名 接待、もてなす心 (≒ friendliness, kindness)
▷ the **hospitality** industry 接客業
▷ show **hospitality** to visitors 来客をもてなす

㋾ 語源の hospital (病院) は元々「もてなす所」

0545 ☐☐☐☐☐☐ ☐

identify
/aidéntəfài/

動 (正体などを) 特定する、同一視する (≒ recognize)
名 **identification** 身分証明
▷ **identify** the location[the cause] 位置 [原因] を特定する

㋘ ID(identity) カードは「同一人物 (を特定するための) カード」

0546 ☐☐☐☐☐☐ ☐

imply
/implái/

動 ほのめかす、(必然的に) 含む (≒ suggest, indicate)
名 **implication** 意味合い
▷ an **implied** consent 暗黙の合意

☞ im (中に) + ply (巻きこむ) → 含む

0547 ☐☐☐☐☐☐ ☐

increasingly
/inkríːsiŋli/

副 ますます、次第に (≒ gradually, more and more)
▷ an **increasingly** globalized world ますますグローバル化する世界

㋾ increase (増加する) の派生語

0548 ☐☐☐☐☐☐ ☐

ingredient
/ingríːdiənt/

名 材料、成分、構成要素 (≒ component)
▷ **ingredients** for pancakes パンケーキの材料

🔑 天津 (しん) ぐりじゃんじゃん「材料」にする、と覚えよう!
☞ in (中に) + gredi (行く) → (中に入る) 成分

0549 ☐☐☐☐☐☐ ☐

inhabit
/inhǽbit/

動 住む (≒ live) 名 **inhabitant** 居住者
▷ **inhabit** the island[forest] 島 [森] に住む

☞ habit (習慣) は「いつも住む」という意味から

🔊 Track 078

0550 instance /ínstəns/

名 **実例、場合** (≒ example, case) 動 **例示する**
▷ for **instance** 例えると　▷ in the first **instance** 第一に

☞ for instance は「(手短にまとめて) 例示すると」、
for example は「(多数の中から取り上げて) 例示すると」、
for an instant は「ほんの束の間」

0551 instinct /ínstiŋkt/

名 **本能、直感** (≒ feeling, intuition)
▷ natural[animal] **instincts** 生来 [動物] の本能

☞ in (中に) + stinct (刺す) → (生得の) 衝動

0552 invisible /invízəbl/

形 **目に見えない、姿を現さない** (≒ hidden)
▷ The star is **invisible** to the naked eye.
その星は肉眼では見えない。

☞ in (否定) + vis (見える) + ible (可能) → 不可視の

0553 irony /ái(ə)rəni/

名 **皮肉、風刺、皮肉な結果** (≒ sarcasm) 形 **鉄の**
形 **ironic** 皮肉な 副 **ironically** 皮肉にも
▷ The **irony** is that antiwar movements were violent.
皮肉なことに反戦運動は暴力的だった。

(外) アイロニーは「皮肉」のこと

0554 just /dʒʌst/

形 **公正な、もっともな** 副 **ちょうど、ただ〜だけ**
▷ a **just** cause for war 戦争の大義名分

☞ justice (正義) とは just (公正な) + ice (行為)

0555 justify /dʒʌstəfài/

動 **正当だとする、弁明する** (≒ confirm, excuse)
名 **justification** 正当化
▷ **justify** the means[the conclusion] 手段 [結論] を正当化する

☞ just (公正な) + fy (〜にする) → 正当化する

0556 landmark /lǽn(d)mɑːrk/

名 **画期的な事件、(陸上の) 目印となるもの**
▷ a **landmark** tower ランドマークタワー
▷ **landmark** events[rules] 画期的な出来事 [判決]

🔒 おらんど? マーくん、「目印」どこや? と覚えよう!

● Track 079

0557 □□□□□□ □

leftover
/léftòuvər/

形 余りの、食べ残しの 名 leftovers 残り物 (≒ remains)
▷ **leftover** stock 余剰在庫
▷ **leftover** food 食べ残し

☞ left (残った) + over (超えて)、名詞としては通例、複数形で用いる

0558 □□□□□□ □

legend
/léʤənd/

名 伝説、偉大な人 (物) 形 legendary 伝説的な
▷ the **legend** of King Arthur アーサー王伝説
▷ a **legend** of the sports world スポーツ界の伝説的な人物

🔊 これじゃん? どんどん「伝説」になるやつ、と覚えよう!

0559 □□□□□□ □

liquid
/líkwid/

名 液体 形 液状の、流ちょうな 反 solid 固体の
▷ a drop of **liquid** 液体のしずく
▷ a **liquid** crystal display 液晶ディスプレー

☞ liquid と solid はペアで覚えよう!

0560 □□□□□□ □

magnificent
/mægnífəsnt/

形 壮大な、崇高な (≒ impressive)
▷ a **magnificent** view[temple] 壮大な眺め [寺院]

⊛ magni は大きいこと、magnitude (マグニチュード) も同語源

0561 □□□□□□ □

manual
/mǽnjuəl/

形 手動式の、手工芸の 名 手引き、マニュアル
▷ **manual** labor 肉体労働
▷ **manual** wheelchairs 手動式車いす

⊕ マニュアルは「手動の」「手引書」として用いられる語

0562 □□□□□□ □

means
/mí:nz/

名 手段、資産 (≒ method, tool)
▷ a **means** of communication[transportation]
コミュニケーション [交通] 手段

☞ live beyond one's means (分不相応に暮らす)、by no means (決して~ない)、by all means (ぜひとも) など様々な表現に用いられる

0563 □□□□□□ □

meanwhile
/mí:n(h)wàil/

副 その間に、その一方 (≒ in the meantime)
▷ **Meanwhile,** let's have some tea. その間にお茶でも飲みましょう。

☞ まれな場合を除いて、meanwhile は副詞、meantime は名詞として用いられる

◀》Track 080

0564 □□□□□□ □

monument
/mánjumənt/

名|記念碑、金字塔 (≒ memorial, statue)
▷ ancient **monuments** 古代遺跡
▷ peace **monuments** 平和記念碑

(外) モニュメントは「記念碑」のこと

0565 □□□□□□ □

moreover
/mɔːróuvər/

副|さらに、加えて (≒ additionally, besides)
▷ He was a singer, **moreover** an actor.
彼は歌手で、その上役者だった。

☞ more (さらに) + over (超えて) → もっとさらに

0566 □□□□□□ □

navigation
/nævəgéiʃən/

名|航海 [飛行] (技術)
動|navigate操縦 [案内] する (≒ cruise, guide)
▷ **navigation** charts 航行図
▷ car **navigation** systems カーナビ [道案内] システム

(?) な**な**美形っしょ?「航海技術」も抜群! と覚えよう!

0567 □□□□□□ □

noble
/nóubl/

形|高貴な、貴重な、見事な (≒ eminent, worthy)
▷ a **noble** family[metal] 貴族 [金属]

(?) 「高貴な」人の一、ベルは金ぴか! と覚えよう!

0568 □□□□□□ □

nutrition
/n(j)uːtríʃən/

名|栄養、食物 形|nutritious栄養価の高い
▷ **nutrition** supplements 栄養剤
▷ **nutrition** guidelines 栄養摂取ガイドライン

(?) 「栄養」補給に牛乳とりしゃん! と覚えよう!

0569 □□□□□□ □

obey
/oubéi/

動|従う、言うことを聞く (≒ follow, serve)
名|obedience服従 形|obedient従順な
▷ **obey** the rule[order] ルール [命令] に従う

(?) 欧米の政策に「従う」な、と覚えよう!

0570 □□□□□□ □

odd
/ád/

形|奇妙な、奇数の、半端な (≒ unusual, strange)
▷ **odd** numbers 奇数
▷ The situation may seem **odd**. その状況は奇妙に見えるかもしれない。

(?) **おっ、どれ**も「奇妙で」「半端だ」な、と覚えよう!

● Track 081

0571 　□□□□□　□

pedestrian
/pədéstriən/

名|歩行者 (≒ walker) 形|徒歩の、単調な
▷ a **pedestrian** crossing[bridge] 横断歩道、歩道 [橋]

☞ pede (足) + str (歩く) + ian (人) → 歩行者

0572 　□□□□□　□

philosophy
/filásəfi/

名|哲学、指針 形|philosophical 哲学的
▷ the **philosophy** of life 人生哲学
▷ the **philosophy** of business 企業理念

☞ philo (愛する) + soph (知恵) → 哲学

0573 　□□□□□　□

politics
/pálətìks/

名|政治 (的手段、活動) 名|politician 政治家
▷ national[local] **politics** 国内 [地方] 政治
▷ the **politics** of healthcare 医療政策

☞ polit (政治) + ics (学) → 政治

0574 　□□□□□　□

pollution
/pəlú:ʃən/

名|汚染、公害 (≒ contamination) 動|pollute 汚す
▷ the air[water, environmental] **pollution**
　大気 [水質、環境] 汚染

💡 なんで**保留しよん**? 「汚染」問題、と覚えよう!

0575 　□□□□□　□

potential
/pəténʃəl/

名|潜在力、可能性 (≒ capability, possibility)
▷ **potential** customers 見込み客
▷ **potential** damage to the area そのエリアの潜在的ダメージ

🌐 ポテンシャルは日本語になっている

0576 　□□□□□　□

pressure
/préʃər/

名|圧力、プレッシャー 動|無理強いする
▷ blood[work] **pressure** 血圧、[仕事の] 重圧

🌐 日本語ではプレッシャーは通例「(心理的な) 圧力」を表す

0577 　□□□□□　□

qualification
/kwàləfikéiʃən/

名|資格、能力 (≒ ability, skill, requirement)
動|qualify 適格とする
▷ **qualifications** for application 申し込み資格
▷ **qualification** exams 資格試験

⑱ quali は「何らかの資格」、quality も同語源

🔊 Track 082

0578 □□□□□□ □
receipt
/risíːt/

名**領収書、受け取ること** 動**領収書を出す**
▷ on **receipt** of the item 商品を受け取り次第
▷ a **receipt** of payment 支払いの領収書

㊫ レシートは「領収書」のこと

0579 □□□□□□ □
renew
/rin(j)úː/

動**更新する、復活させる** 名**renewal**更新
▷ **renew** the contract[passport] 契約 [パスポート] を更新する

☞ re (再び) + new (新しい) → 更新する

0580 □□□□□□ □
reproduce
/rìːprədúːs/

動**再現する [される]、繁殖する [される]** (≒ copy)
名**reproduction** 再生 [されたもの]
▷ **reproduce** the result of an experiment 実験の結果を再現する

☞ re (再び) + pro (前に) + duce (引き出す) → 再現する

0581 □□□□□□ □
resolve
/rizálv/

動**決意する、解決する** (≒ solve) 名**決断**
▷ **resolve** the case[issue] 事件 [課題] を解決する

☞ re (何度も) + solve (解く) → 解決する

0582 □□□□□□ □
reward
/riwɔ́ːrd/

名**報酬、罰** (≒ merit, return) 動**報いる、値する**
形**rewarding** 価値のある
▷ receive a **reward** 報酬を受け取る
▷ **reward** the worker for his good performance
　優れた成績の労働者に報酬を与える

🔑 スリはー、どこでも「報酬」探す、と覚えよう!

0583 □□□□□□ □
rob
/ráb/

動**奪う** (≒ deprive) 名**robbery** 強盗
▷ **rob** the man of his watch その男から時計を奪う
▷ Don't **rob** yourself of opportunities. 自らチャンスを失うな!

🔑 風呂ぶっ壊れて、おけ「奪う」、と覚えよう!

0584 □□□□□□ □
scholar
/skálər/

名**学者、特待生** 名**scholarship** 奨学金
▷ prominent[world famous] **scholars**
　著名な [世界的に有名な] 学者

㊙ school (学校) が語源

◀)) Track 083

0585 □□□□□ □

secondhand
/sèk(ə)n(d)hǽnd/

形 **中古の、間接の** (≒ used, indirect) 副 **中古で**
▷ a **secondhand** bookstore 古本屋
▷ **secondhand** information 間接的に聞いた情報

☞ second (2 番目の) + hand (手) → 間接の

0586 □□□□□ □

shrink
/ʃríŋk/

動 **縮む、減少する** (≒ diminish) 名 **縮み**
▷ The clothes will **shrink** when washed. この服は洗うと縮む。

💡 スケート選手リンクでシュルリと「縮む」衣装、と覚えよう！

0587 □□□□□ □

sight
/sáit/

名 **光景、視力** (≒ view, vision) 形 **初見の**
動 **見つける、狙いをつける**
▷ the spectacular **sight** of Niagara Falls
　ナイアガラの滝の素晴らしい光景
▷ love at first **sight** 一目ぼれ

☞ sightseeing (観光) は sight を見ること

0588 □□□□□ □

signature
/sígnətʃər/

名 **(文書などの) 署名、記号** 形 **特徴的な**
▷ a handwitten[an authorized] **signature** 手書きの [正式な] 署名

測 sign (サイン) を含む語

0589 □□□□□ □

souvenir
/sùːvəníər/

名 **(旅・出来事などの) 記念品、土産**
▷ **souvenirs** of the trip 旅行の土産
▷ **souvenir** photos 記念写真

💡 「手土産」にスーブ (ブ) 煮るとは！ と覚えよう！

0590 □□□□□ □

specialize
/spéʃəlàiz/

動 **専門とする、特化する**
▷ **specialize** in history[engineering] 歴史 [工学] を専門とする

☞ special (特別) + ize (化する) → 特化する

0591 □□□□□ □

species
/spíːʃiːz/

名 **(動植物分類上の) 種、人類** ＊単複同形
▷ endangered[native] **species** 絶滅危惧 [在来] 種

💡 すぴーっ！ しー！ ずっと「人類」眠っている、と覚えよう！

●Track 084

0592 □□□□□□ □

spot
/spát/

名 地点、斑点 動 染みで汚れる、目印をつける
▷ tourist **spots** 観光地
▷ on the **spot** その場で、即座に

(外) デートスポット、パワースポット、スポットライトなど「一地点」を表す語

0593 □□□□□□ □

stock
/sták/

名 備蓄、株 (≒ store, reserve) 動 蓄える
▷ the **stock** market 株式市場
▷ run out of **stock** 在庫がなくなる

(外) ストック切れとは「備蓄」切れのこと

0594 □□□□□□ □

straight
/stréit/

形 まっすぐな、途切れない (≒ in line, direct)
動 straighten まっすぐにする
▷ **straight** roads 直線道路
▷ a **straight** answer[talk] 率直な答え [話]

(外) ストレートは日本語になっている

0595 □□□□□□ □

suburban
/səbə́:rbən/

形 郊外の [に住む]、郊外特有の (退屈な)
名 郊外居住者
名 suburb 郊外
▷ a **suburban** life[area] 郊外の暮らし [地域]

☞ sub (近い) + urb (都市) + an (〜の) → 郊外の

0596 □□□□□□ □

summary
/sʌ́məri/

名 概要 形 手短な 動 summarize 要約する
▷ **summary** reports 概要報告
▷ the **summary** of a book 本の要約

☞ summary は「概要」、sum は「(加えた) 総計」、「(summary よりも短く簡単な) 要約」

0597 □□□□□□ □

surrender
/səréndər/

動 降伏する、明け渡す
▷ **surrender** the property to the owner 不動産を持ち主に明け渡す
▷ **surrender** to the enemy 敵に降伏する

🔒 「降伏する」者、去れんだー! と覚えよう!
☞ sur (過度に) + render (与える) → 完全に明け渡すこと

0598 □□□□□□ □

vanish
/vǽniʃ/

動 消滅する、見えなくなる (≒ disappear)
▷ The airplane **vanished** without a trace.
　飛行機は跡かたもなく消えた。

(源) vain (無駄な)、vacant (空いた)、vanity (空虚) などと同語源

0599 □□□□□□ □

vitality
/vaitǽləti/

名 **活力、持続力** (≒ energy, stamina) 形 **vital** 生命の、致命的な
▷ the **vitality** of the community[the economy] 地域［経済］の活力

外 バイタリティーは日本語になっている
源 vita（生命）が語源

0600 □□□□□□ □

withdraw
/wiðdrɔ́ː/

動 **撤退する［させる］、引く** (≒ extract, remove)
名 **withdrawal** 撤回
▷ **withdraw** money from the bank 銀行から預金を引き出す

☞ with（離れて）+ draw（引く）→ 撤退する

類語をまとめてチェック！ 名詞編

最重要 ★★★☆

- □ make a **(donation, contribution)** to the charity チャリティーに寄付する
- □ change my **(occupation, profession, career)** 仕事を変える
- □ receive a high **(pay, salary, wage, income)** 高い給料を得る
- □ chemical **(substances, materials, matters)** 化学物質
- □ my business **(colleague, coworker, partner)** 私の仕事仲間
- □ the **(relation, relationship, connection, association)** between work and family 仕事と家庭との関係
- □ unique **(features, characteristics, qualities)** of the product その商品の独特の特徴
- □ a growing **(tendency, trend)** toward globalization 高まる国際化の傾向
- □ a(n)/one's **(concept, view, opinion, idea, notion, philosophy)** of life 人生観

□ have a great **(influence, effect, impact)** on the economy
経済に大きな影響を与える

□ one's mental **(ability, capacity, faculty, capability)** 知的能力

□ (a) social **(situation, conditions, circumstances, environment)**
社会的状況

重要 ★★☆☆

□ suffer from **(grief, agony, despair, sorrow, misery)** 悲しみに打ちひしがれる

□ a large **(amount, quantity, volume)** of water 大量の水

□ (an) economic **(hardship, difficulties, trouble, crisis)** 経済的困難

□ teaching **(qualification, certificate)** 教員資格

□ a(n) **(method of, approach to, procedure for)** solving a problem
問題解決の方法

□ public **(safety, security)** 治安

□ a(n) **(expert in, professional in, authority on, master of)** marketing
マーケティングの達人

□ a **(shortage, lack, scarcity)** of funds 資金不足

□ key **(elements, factors)** of success 成功の要素

□ medical **(tools, instruments, equipments, appliances, apparatus, device)**
医療器具

□ (a) human **(character, characteristics, personality, nature, traits)**
人間の人格

□ die from **(starvation, famine)** 餓死する

□ fight with the **(opponent, rival, competition, competitor)** 競争相手と戦う

□ a problem with his **(attitude, behavior, conduct)** 彼の振舞いの問題点

□ the **(consequence, result, outcome)** of the war 戦争の結果

□ **(differences, gaps, distinctions)** between the two 両者の違い

□ hold a **(conference, convention, meeting)** 会議を開く

Chapter 2

最重要基本動詞表現を
一気にマスター！

take

takeのコンセプトは「取り込む」「どこかに移動する」で、そこからtake it easy（気楽に考える）、take off my clothes（服を脱ぐ）のような表現が生まれます。

🔊 Track 085

0001 ☐☐☐☐☐ ☐

take over ~

～を引き継ぐ
▷ He **took over** his father's business.
彼は父のビジネスを継いだ。

0002 ☐☐☐☐☐ ☐

take turns ~ing

交代で～する
▷ They **took turns driving** the car.
彼らは交代で車を運転した。

0003 ☐☐☐☐☐ ☐

take ~ for granted (that)

～を当然のことと考える
▷ Don't **take it for granted that** you would pass the exam.
試験合格を当然のことと考えてはいけません。

0004 ☐☐☐☐☐ ☐

take account of ~

～を考慮する
▷ Please **take account of** his opinion.
彼の意見を考慮してください。

0005 ☐☐☐☐☐ ☐

take charge of ~

～を担当する、～を預かる
▷ He is going to **take charge of** the class.
彼はそのクラスを担当する予定だ。

0006 ☐☐☐☐☐ ☐

take *one's* time

時間をかけてゆっくりやる
▷ Please **take your time**. どうぞごゆっくり。

0007 ☐☐☐☐☐ ☐

take *one's* place

～の代理を務める
▷ No one can **take his place**. 誰も彼の代理を務められない。

0008 □□□□□ □

take a break

休憩する
▷ Let's **take a break**. 休憩しよう。

0009 □□□□□ □

take ~ seriously

～を真剣に考える
▷ Don't **take it so seriously**. そんな真剣に考えないで。

0010 □□□□□ □

take up ~

～を始める、～に就く
▷ Let's **take up** a new hobby. 新しい趣味を始めてみましょう。

0011 □□□□□ □

take out ~

～を外に持ち出す（連れ出す）
▷ You can **take out** the bread.
パンを持ち帰ることができます。

0012 □□□□□ □

take a deep breath

深呼吸する
▷ **Take a deep breath** and relax. 深呼吸して落ち着きなさい。

0013 □□□□□ □

take pains to V(動詞)

～しようと苦心する
▷ He **took pains to** pass the exam.
彼は試験に合格しようと苦心した。

make

make のコンセプトは「ある物を新しい別の物にする」で、そこから make a speech（スピーチをする）、make a decision（決断を下す）のような表現が生まれます。

🔊 Track 086

0014 □□□□□ □

make it

うまくいく、時間に間に合う
▷ I can't **make it**! 間に合わない！

0015	□□□□□ □

make *oneself* heard

自分の考えを聞いてもらう
▷ I couldn't **make myself heard** because of the noise.
騒音のために声が届かなかった。

0016	□□□□□ □

make sense

道理にかなう
▷ It doesn't **make sense**. それは筋が通りません。

0017	□□□□□ □

make A from B

B（原料・材料）から A（製品）を作る
▷ Wine **is made from** grapes. ワインはブドウから作られる。

0018	□□□□□ □

make sure that ~

～を確かめる
▷ Please **make sure that** there is no mistake.
間違いがないか確かめてください。

0019	□□□□□ □

make up for ~

～を埋め合わせる
▷ He had to **make up for** the loss.
彼は損失の埋め合わせをしなければならなかった。

0020	□□□□□ □

make a decision

決定を下す
▷ He **made an** important **decision**. 彼は重要な決定を下した。

0021	□□□□□ □

make use of ~

～を利用する
▷ Don't **make use of** others. 他人を利用してはいけません。

0022	□□□□□ □

make a mistake

間違いを犯す
▷ I found that I **made a mistake**.
私は間違いを犯していることに気づいた。

0023　□□□□□□　□

make a face

嫌な（滑稽な）顔をする
▷ Please don't **make a face**. 嫌な顔をしないでください。

0024　□□□□□□　□

make out ~

～がわかる
▷ I couldn't **make out** what he said.
彼が言ったことがわからなかった。

0025　□□□□□□　□

make an
attempt to ~

～しようと努力する
▷ He **made an attempt to** learn English.
彼は英語を学習しようと努力した。

0026　□□□□□□　□

make fun of ~

～をからかう
▷ He always **makes fun of** his friends.
彼はいつも友人をからかう。

0027　□□□□□□　□

make any
difference

（否定文で）どちらでも問題ない
▷ It does not **make any difference** to me.
私にとってはどちらでも問題ない。

0028　□□□□□□　□

make do with ~

～で間に合わせる
▷ Please **make do with** what is left in the refrigerator.
冷蔵庫の残りもので間に合わせてください。

0029　□□□□□□　□

make a fool of ~

～を笑いものにする
▷ He didn't **make a fool of** you.
彼はあなたを笑いものにしたのではありません。

---

get

get のコンセプトは「ある状態 (もの) になる、至る」で、そこから get in the way (邪魔になる) のような表現が生まれます。

🔊 Track 087

0030

get A to V (動詞)

A に〜させる
▷ The doctor **got him to stop** smoking.
医者は彼に喫煙をやめさせた。

0031

get O p.p. (過去分詞)

O を〜してもらう、O が〜される
▷ I **got my cellphone repaired**.
私は携帯電話を修理してもらった。

0032

get in ~

〜の中に入る、〜に乗り込む
▷ **Get in** the car and start right now!
車に乗り込みすぐに出発だ。

0033

get in *one's* way

〜の邪魔をする
▷ The slow computer **gets in my way** of business.
その遅いコンピュータは仕事の妨げになる。

0034

get in the way

邪魔になる
▷ It really **gets in the way**. それは本当に邪魔だ。

0035

get rid of ~

〜を取り除く
▷ She needs to **get rid of** her stress.
彼女はストレスを取り除く必要がある。

0036

get lost

道に迷う
▷ I **got lost** on my way home. 帰宅途中で道に迷った。

0037 □□□□□ □

get on *one's* nerves

〜をイライラさせる
▷ His way of speaking **gets on my nerves**.
彼の話し方は私をイライラさせる。

0038 □□□□□ □

get away

逃れる
▷ You cannot **get away** from the reality.
現実から逃れることはできません。

0039 □□□□□ □

get over 〜

〜から立ち直る、〜を克服する
▷ You have to **get over** the mistake.
あなたはその失敗から立ち直らなければならない。

0040 □□□□□ □

get together

集まる
▷ All members **got together** in front of the station.
メンバー全員が駅の前で集まった。

0041 □□□□□ □

get along with 〜

〜と仲良くする
▷ He can **get along with** anyone. 彼は誰とでも仲良くできる。

0042 □□□□□ □

get by (〜)

何とかやっていく、（〜を）通り抜ける
▷ He can **get by** on his salary.
彼は自分の給料でやっていくことができる。

---

put

put のコンセプトは「あるものをある所・状態に置く」で、そこから put off the game（その試合を延期する）、put out a light（明かりを消す）のような表現が生まれます。

🔊 Track 088

0043 □□□□□ □

put on 〜

〜を着る
▷ I'll **put on** kimono on the Coming of Age ceremony.
成人式には着物を着ます。

0044 □□□□□□ □

put up with ~

~を我慢する
▷ He could not **put up with** her rude behavior.
彼は彼女の無礼な振舞いに我慢できなかった。

0045 □□□□□□ □

put ~ into [in] practice

~を実行する
▷ Can you **put** the plan **into practice**?
その計画を実行することができますか?

0046 □□□□□□ □

put together ~

~を組み立てる
▷ **Put together** the bookshelf this afternoon.
今日の午後、本棚を組み立ててください。

0047 □□□□□□ □

put out ~

~を消す
▷ Please **put out** the light before you go to bed.
寝る前に電気を消してください。

0048 □□□□□□ □

put an end to ~

~を終わらせる
▷ The new system will **put an end to** all the problems.
その新しいシステムがすべての問題に終止符を打つだろう。

0049 □□□□□□ □

put down ~

~を書き留める、~を下に置く
▷ She **put down** my phone number on paper.
彼女は紙に私の電話番号を書き留めた。

0050 □□□□□□ □

put off ~

~を延期する
▷ The concert was **put off** until tomorrow.
コンサートは明日まで延期された。

0051 □□□□□□ □

put away ~

~を片付ける
▷ **Put away** your toys first! まずはおもちゃを片付けなさい。

0052 □□□□□ □

put ~ back together

～を元の状態に戻す
▷ Take the parts apart and **put** them **back together**.
部品を分解して元の状態に戻しなさい。

0053 □□□□□ □

put aside ~

**～を脇に置いておく、
(問題などを) 考えないことにする**
▷ Don't **put aside** the important issue.
重要な問題を脇に置いておかないで。

0054 □□□□□ □

put ~ in order

～を整理する、～を順序立てる
▷ Please **put** your room **in order**. 部屋を整理してください。

have

have のコンセプトは「所有する・所有しようとする・自然に得る」で、そこから have a break (一服する)、have an operation (手術する) のような表現が生まれます。

◀》 Track 089

0055 □□□□□ □

have O p.p. (過去分詞)

O を～してもらう、O が～される
▷ I **had** my shoes **repaired**. 私は靴を直してもらった。

0056 □□□□□ □

have a look at ~

～を見る
▷ Let me **have a look at** your notebook.
ノートを見せてください。

0057 □□□□□ □

have A in common with ~

～と共通して A を持つ
▷ She **has** big eyes **in common with** her sister.
彼女は姉 [妹] と共通して大きな目を持っている。

0058 □□□□□ □

be [have] done with ~

～を終える
▷ I **am done with** my homework. 私の宿題は終わっている。

0059 □□□□□ □
have an
effect on ~

~に効く
▷ This medicine **has an effect on** a sore throat.
この薬は喉の痛みに効く。

0060 □□□□□ □
have something [a lot]
to do with ~

~と関係がある [多くある]
▷ This new product **has something to do with** the old model.
この新製品は古いモデルと関係がある。

0061 □□□□□ □
have trouble [difficulty/
a hard time] ~ing

~するのに苦労する
▷ I **had trouble communicating** in English.
私は英語でのコミュニケーションに苦労した。

0062 □□□□□ □
have a word with ~

~と少し話す
▷ I usually **have a word with** my friends after school.
私はいつも放課後に友人と少し話をする。

0063 □□□□□ □
have nothing
to do with ~

~と無関係である
▷ He **has nothing to do with** the crime.
彼はその犯罪とは無関係だ。

0064 □□□□□ □
have little to
do with ~

~とはほとんど関係ない
▷ He **has little to do with** the crime.
彼はその犯罪とはほとんど関わりがない。

0065 □□□□□ □
have *one*'s
own way

思い通りにする
▷ He always **has his own way** in business.
仕事において彼はいつも自分の思い通りにする。

0066 □□□□□ □
have second
thoughts (about ~)

(~について) 考え直す
▷ I **had second thoughts** and accepted his offer.
私は考え直して彼の申し出を受け入れた。

0067 ☐☐☐☐☐ ☐

have little hope of ~

～の望みが薄い
▷ She **has little hope of** promotion.
   彼女は昇進の望みが薄い。

---

give

give のコンセプトは「何かを与え、与えすぎてたわむ」で、そこから Give me five days. (5 日待って)、give it a try (試しにやってみる) のような表現が生まれます。

━━ 🔊 Track 090 ━━

0068 ☐☐☐☐☐ ☐

give A a try

A を試してみる
▷ Let's **give it a try**. 試しにそれをやってみましょう。

0069 ☐☐☐☐☐ ☐

give rise to ~

～を引き起こす
▷ Satisfaction **gives rise to** a happy feeling.
   満足は幸福感を引き起こす。

0070 ☐☐☐☐☐ ☐

give in ~

(書類などを) 提出する、降参する
▷ You must **give in** your homework by tomorrow.
   明日までに宿題を提出しなければなりません。

0071 ☐☐☐☐☐ ☐

give in to ~

～に屈する
▷ The government **gave in to** the terrorist's demand.
   政府はテロリストの要求に屈した。

0072 ☐☐☐☐☐ ☐

give birth to ~

～を出産する
▷ She is going to **give birth to** a baby boy.
   彼女は男の子を出産する予定だ。

0073 ☐☐☐☐☐ ☐

give way to ~

(感情などに) 負ける、～に屈する
▷ He **gave way to** his emotion.
   彼は感情を抑えられなかった。

0074 ☐☐☐☐☐ ☐

give [pay] attention to ~

~に注意を払う
▷ It is important to **give[pay] attention to** details.
細部まで注意を払うことが大切だ。

---

break

break のコンセプトは「破壊・崩壊と誕生」で、そこから break one's promise (約束を破る)、break up with my girlfriend (彼女と別れる) のような表現が生まれます。

🔊 Track 091

0075 ☐☐☐☐☐ ☐

break up ~

(関係・友情などが) 壊れる、物がバラバラになる
▷ The engine **broke up** in pieces.
エンジンがバラバラになった。

0076 ☐☐☐☐☐ ☐

break down (~)

故障する、~を壊す
▷ My car **broke down** while going to work.
仕事に行く途中で車が故障した。

0077 ☐☐☐☐☐ ☐

break out

(災害・戦争などが) 発生する
▷ Nobody will be surprised if a war **breaks out** in the area.
その地域に戦争が勃発しても誰も驚かないだろう。

0078 ☐☐☐☐☐ ☐

break the ice

話の口火を切る、緊張をほぐす
▷ He **broke the ice** with a joke. 彼は冗談で緊張をほぐした。

0079 ☐☐☐☐☐ ☐

break into ~

~へ不法に押し入る、急に~し始める
▷ Someone **broke into** my house yesterday.
昨日誰かが私の家に侵入した。

0080 ☐☐☐☐☐ ☐

break with ~

~と関係を断つ
▷ You need to **break with** the tradition.
その伝統を捨て去る必要がある。

---

run

run のコンセプトは「走る」「走らせる」で、そこから run a company（会社を経営する）、My nose is running.（鼻水が出る）のような表現が生まれます。

◀)) Track 092

| 0081 | □□□□□ | □ |

run out of ~

～が切れる
▷ Be careful not to **run out of** fuel.
燃料切れにならないように気をつけなさい。

| 0082 | □□□□□ | □ |

run into [across] ~

～に偶然出会う
▷ I **ran into[across]** an old friend of mine.
私は古い友人に偶然出会った。

| 0083 | □□□□□ | □ |

run over ~

車・運転者が～をひく
▷ The driver **ran over** a cat on the street.
その運転手は通りで猫をひいてしまった。

| 0084 | □□□□□ | □ |

run through ~

～を走り抜ける、～をざっとおさらいする
▷ Suddenly, a pain **ran through** my neck.
突然、首に痛みが走った。

| 0085 | □□□□□ | □ |

run short of ~

～が不足する
▷ Our company is **running short of** resources.
会社は資金が不足してきている。

turn

turn のコンセプトは「方向転換・変化」で、そこから turn red（赤くなる）、turn 40（40歳になる）のような表現が生まれます。

◀)) Track 093

| 0086 | □□□□□ | □ |

turn on ~

（電灯などを）つける、ガス・水を出す
▷ Please **turn on** the light. 電気をつけてください。

0087 ☐☐☐☐☐☐ ☐

turn off ~

（スイッチなどを）消す、（蛇口などを）止める
▷ Please **turn off** the light before you go to bed.
寝る前に電気を消してください。

0088 ☐☐☐☐☐☐ ☐

turn to ~

〜に取り掛かる、〜に頼る
▷ We will **turn to** a new project next month.
来月、私たちは新しいプロジェクトに取り掛かる。

0089 ☐☐☐☐☐☐ ☐

turn to A for B

B を求めて A を頼りにする、B を A に求める
▷ You cannot **turn to** her **for** advice now.
今は彼女に助言を求めることはできない。

0090 ☐☐☐☐☐☐ ☐

turn out to be [that] ~

〜だとわかる
▷ His explanation **turned out to be** a lie.
彼の説明は嘘だと判明した。

0091 ☐☐☐☐☐☐ ☐

turn up (~)

姿を現す、（音量などを）大きくする
▷ She **turned up** late for the meeting.
彼女は会議に遅れて来た。

0092 ☐☐☐☐☐☐ ☐

turn in ~

〜を提出する
▷ You need to **turn in** the report today.
今日、報告書を提出しなければなりません。

0093 ☐☐☐☐☐☐ ☐

turn down ~

〜を拒絶する
▷ He **turned down** the job offer. 彼は仕事のオファーを断った。

0094 ☐☐☐☐☐☐ ☐

turn away ~

（顔・目などを）そらす
▷ He **turned away** his face in shame.
恥ずかしくて彼は顔をそらした。

---

hold

hold のコンセプトは「しっかり持って支える」で、そこから hold one's breath（息を殺す）、hold the line（電話を切らずに待つ）のような表現が生まれます。

🔊 Track 094

0095 ☐☐☐☐☐ ☐	
hold *one*'s breath	息を飲む ▷ He **held his breath** at the climax scene. クライマックスのシーンで彼は息を飲んだ。

0096 ☐☐☐☐☐ ☐	
hold *one*'s tongue	黙る ▷ **Hold your tongue**, or I'll put you out. 黙りなさい。さもないと追い出します。

0097 ☐☐☐☐☐ ☐	
hold on	電話を切らないでおく、がんばる ▷ Please **hold on** a second. 少し電話を切らずに待っていてください。

0098 ☐☐☐☐☐ ☐	
hold up (~)	耐える、（交通・生産などを）遅らせる、 〜を一時ストップさせる ▷ He **held up** under the pressure. 彼はプレッシャーに耐えた。

0099 ☐☐☐☐☐ ☐	
hold the line	電話を切らずに待つ ▷ Please **hold the line** for a few minutes. 数分間、電話を切らずに待っていてください。

do

do のコンセプトは「ある目的を持って何かをする」で、そこから do one's hair（髪をとかす）、do the dishes（皿を洗う）のような表現が生まれます。

◀)) Track 095

0100 □□□□□ □

do away with ~

～を廃止する、～を取り除く
▷ We should **do away with** the custom.
その慣習を廃止するべきだ。

0101 □□□□□ □

do without ~

～なしで済ます
▷ I cannot **do without** coffee for breakfast.
朝食にコーヒーなしでは済ませられない。

0102 □□□□□ □

do A good

A のためになる
▷ Studying foreign languages **does you good**.
外国語を勉強することはあなたのためになる。

0103 □□□□□ □

do A harm

A の害になる
▷ Smoking **does you harm**. 喫煙はあなたの害になる。

0104 □□□□□ □

do A a favor

A の願いを聞く
▷ Could you **do me a favor**? 私の頼みを聞いてもらえますか。

0105 □□□□□ □

do for ~

～に間に合わせる
▷ I don't think that small bag will **do for** the trip.
旅行にその小さなカバンでは間に合わないと思います。

0106 □□□□□ □

do business with ~

～と取引する
▷ I want to **do business with** foreign companies.
海外企業と取引をしたいと思っている。

---

keep

keep のコンセプトは「あるものをある期間保っておく」で、そこから keep a secret（秘密を守る）、keep good time（[時計が] 正確だ）のような表現が生まれます。

● Track 096

0107 □□□□□□ □

keep ~ in mind

～を心に留める
▷ You need to **keep** the fact **in mind**.
その事実を心に留めておく必要がある。

0108 □□□□□□ □

keep up

～を維持する
▷ He **keeps up** a good relationship with his girlfriend.
彼は彼女と良い関係を維持している。

0109 □□□□□□ □

keep up with ~

～に遅れないでついて行く
▷ Nobody could **keep up with** his pace.
誰も彼のペースにはついていくことができなかった。

0110 □□□□□□ □

keep an eye on ~

～から目を離さない
▷ **Keep an eye on** the children.
子供達から目を離さずにいなさい。

0111 □□□□□□ □

keep track of ~

～を記録する、～を見失わないようにする
▷ **Keep track of** your income. 収入を記録しておきなさい。

0112 □□□□□□ □

keep in touch with ~

～と連絡を保つ
▷ I **keep in touch with** my friends from high school.
高校時代の友人と連絡を保っている。

0113 □□□□□□ □

keep off ~

～に近寄らない、～を避ける
▷ You should **keep off** the area at night.
夜間はその地域に近寄らないほうが良い。

0114	□□□□□ □

keep *one*'s word [promise]

約束を守る
▷ Make sure to **keep your word**.
　必ず約束を守るようにしなさい。

0115	□□□□□ □

keep time

時計が正しく動く
▷ He checked whether his watch **kept time**.
　彼は腕時計が正しく動いているか確認した。

0116	□□□□□ □

keep company with ~

~と交際する
▷ He started **keeping company with** his old friend.
　彼は旧友と交際し始めた。

come

come のコンセプトは「ある対象に近づいてゆく」で、そこから come to my mind（思い浮かぶ）、His dream came true.（彼の夢が叶った）のような表現が生まれます。

🔊 Track 097

0117	□□□□□ □

come to *do*

~しに来る
▷ Please **come to play** with me. 遊びに来てください。

0118	□□□□□ □

come up with ~

~を考え出す
▷ He **came up with** a great idea.
　彼は素晴らしい考えを思いついた。

0119	□□□□□ □

come out

（真実などが）明るみに出る
▷ Finally, the scandal **came out**.
　ついにそのスキャンダルは明るみに出た。

0120	□□□□□ □

come true

実現する
▷ Your dream will **come true** soon.
　あなたの夢はすぐに実現するだろう。

0121

come across ~

〜とばったりと出会う
▷ I **came across** my teacher. 先生とばったり出会った。

0122

come to an end

終わる
▷ His era will **come to an end** soon.
彼の時代はすぐに終わるだろう。

0123

come down

（価格などが）下がる、降りてくる
▷ Oil prices **came down** from last year.
石油価格が昨年より下がった。

0124

come to light

明るみに出る
▷ His secret **came to light**. 彼の秘密が明るみに出た。

0125

come by ~

〜を手に入れる
▷ It is difficult to **come by** such information.
そのような情報を入手することは難しい。

0126

come close to ~ing

もう少しで〜するところである
▷ The plane **came close to crashing** into the mountain.
その飛行機はもう少しで山に激突するところだった。

0127

come around

（年間行事などが）巡ってくる
▷ The rainy season is **coming around**.
梅雨の季節が到来しつつあります。

0128

come of ~

〜から生じてくる
▷ Something will **come of** it. 何とかなるよ。
▷ Nothing **came of** my efforts. 努力の成果がなかった。

0129 ☐☐☐☐☐ ☐

come about

予想外のことが起こる
▷ This is how the conflict **came about**.
このようにして争いは起こった。

0130 ☐☐☐☐☐ ☐

come into being

生まれ出る
▷ The imaginary story **came into being** last year.
その架空の話は昨年生まれた。

---

go

go のコンセプトは「ある所・状態から離れていく」で、そこから go well (うまくいく)、go bad (腐る)、The alarm went off. (目覚ましが鳴った) のような表現が生まれます。

🔊 Track 098

0131 ☐☐☐☐☐ ☐

go through ~

~を経験する
▷ She **went through** great hardship.
彼女は大きな苦痛を経験した。

0132 ☐☐☐☐☐ ☐

go through with ~

~をやり抜く、~をやり直す
▷ Make up your mind and **go through with** it.
決心してそれをやり抜きなさい。

0133 ☐☐☐☐☐ ☐

go with ~

~と共に進む、~と調和する
▷ This jacket **goes with** any color shirt.
このジャケットはどんな色のシャツとでも合う。

0134 ☐☐☐☐☐ ☐

go wrong

間違える、うまくいかない
▷ You can't **go wrong** with this strategy.
この戦略で間違いありません。

0135 ☐☐☐☐☐ ☐

go over ~

~を詳しく調べる
▷ **Go over** your report before the meeting.
会議の前に報告書を見直しなさい。

128

0136 ☐☐☐☐☐☐ ☐

go by

経過する
▷ I feel the weekends **go by** so fast.
週末はとても早く過ぎると感じる。

0137 ☐☐☐☐☐☐ ☐

go off

(警報などが) 鳴る、爆発する
▷ Suddenly, the alarm **went off**. 突然、警報が鳴った。

0138 ☐☐☐☐☐☐ ☐

go into ~

~を詳しく説明する
▷ I won't **go into** detail now. 今は詳細について説明しません。

0139 ☐☐☐☐☐☐ ☐

go on a trip

旅に出る
▷ She **went on a trip** to Paris. 彼女はパリへ旅行に行った。

0140 ☐☐☐☐☐☐ ☐

go along with ~

~に賛成する、~と一緒に行く
▷ Few people **went along with** the new policy.
新政策に賛同した人はほとんどいなかった。

0141 ☐☐☐☐☐☐ ☐

go ahead with ~

~を進める、~を実行する
▷ **Go ahead with** the new project.
新しいプロジェクトを進めなさい。

0142 ☐☐☐☐☐☐ ☐

go out of business

倒産する
▷ It was surprising that the company **went out of business**.
その会社が倒産するとは驚きだった。

0143 ☐☐☐☐☐☐ ☐

go too far

度を越す
▷ Make sure that your joke does not **go too far**.
冗談が行き過ぎないように注意しなさい。

129

0144 □□□□□□ □

go against ~

~に逆らう、~に反する

▷ His way of thinking **goes against** the global trend.
彼の考え方は時代の流れに逆行している。

---

look

look のコンセプトは「意識的にある方向に目を向ける」で、そこから look over the samples (見本を点検する)、look up the info online (ネットで情報を探す) のような表現が生まれます。

◀) Track 099

0145 □□□□□□ □

look forward to ~ing

~するのを楽しみにする

▷ I'm **looking forward to seeing** the actor.
その俳優に会えることを楽しみにしている。

0146 □□□□□□ □

look up ~

(単語などを) 調べる

▷ **Look up** new words in a dictionary.
新出単語は辞書で調べなさい。

0147 □□□□□□ □

look up to ~

~を尊敬する

▷ I **look up to** my grandfather. 私は祖父を尊敬している。

0148 □□□□□□ □

look into ~

~を調べる、~を覗き込む

▷ The police officer **looked into** the accident thoroughly.
警察官は事故を徹底的に調べた。

0149 □□□□□□ □

look out for ~

~に気をつける、~に注意する

▷ You must **look out for** falling rocks in this area.
この地域では落石に注意しなければならない。

0150 □□□□□□ □

look back on [to, at] ~

(昔のことを) 振り返る

▷ Sometimes I **look back on** my life.
時々人生を振り返ることがある。

130

0151 □□□□□□ □

look over ~

～に目を通す
▷ He **looked over** the agenda of the meeting.
彼は会議の議題に目を通した。

0152 □□□□□□ □

look through ~

～に目を通す、～を見抜く
▷ Please **look through** this report today.
今日、この報告書に目を通してください。

0153 □□□□□□ □

look down on ~

～を見下す
▷ He often **looks down on** his friends.
彼はよく友人を見下している。

show | 人に何かを見せる、示す

━━━━━━━━ 🔊 Track 100 ━━━━━━━━

0154 □□□□□ □	
show up	姿を現す ▷ He **showed up** five minutes late. 彼は 5 分遅れで姿を現した。

0155 □□□□□ □	
show off ~	~を見せびらかす ▷ She **showed off** her brand-name bag. 彼女はブランドバッグを見せびらかした。

0156 □□□□□ □	
show A to [into] B	A（人）を B（場所）へ案内する ▷ He **showed** his client **to** a table[**into** a room]. 彼は顧客を席 [部屋] へ案内した。

see | see のコンセプトは「見える」で、そこから see the sights（見物する）、see her off at the station（彼女を駅で見送る）のような表現が生まれます。

━━━━━━━━ 🔊 Track 101 ━━━━━━━━

0157 □□□□□ □	
see A off	A を見送る ▷ I'll go to the airport to **see him off**. 彼を見送るために空港に行く。

0158 □□□□□ □	
see to it that ~	~するように取り計らう、~するように気を付ける ▷ **See to it that** the children can sleep well. 子供達がよく寝られるように取り計らいなさい。

0159 □□□□□ □	
see less of ~	以前ほど~に会わない ▷ I **see less of** my old friends nowadays. 最近は以前ほど旧友と会わない。

bring

bring のコンセプトは「持ってくる」で、そこから bring down the price （値段を下げる）、bring people together （人々を集める）のような表現が生まれます。

◀)) Track 102

0160 ☐☐☐☐☐☐ ☐

bring about ~

～を引き起こす
▷ His misunderstanding **brought about** an argument.
彼の誤解が口論を引き起こした。

0161 ☐☐☐☐☐☐ ☐

bring in ~

～を参加させる、～を持ち込む
▷ It's time to **bring in** new members.
新しいメンバーを迎え入れる時だ。

0163 ☐☐☐☐☐☐ ☐

bring back ~

～を戻す、～を思い出させる
▷ This video **brings back** a lot of memories.
このビデオはたくさんの思い出を思い起こさせてくれる。

0164 ☐☐☐☐☐☐ ☐

bring out ~

～を発売する、～を引き出す
▷ The company **brought out** a new product.
その会社は新製品を発売した。

0165 ☐☐☐☐☐☐ ☐

bring up ~

～を育てる
▷ She **brought up** five children. 彼女は5人の子供を育てた。

0166 ☐☐☐☐☐☐ ☐

bring down ~

～を落とす、～を落ち込ませる
▷ The economic change **brought down** the prices of goods.
経済の変動によって物の価格が下がった。

0167 ☐☐☐☐☐☐ ☐

bring up a subject

ある話題を出す
▷ Don't **bring up the subject** now.
今、その話題を持ち出すな。

lose

lose のコンセプトは「失う」で、そこから lose 5kg（5キロやせる）、lose a game（試合で負ける）、lose one's savings（貯金を失う）のような表現が生まれます。

━━━━━ 🔊 Track 103 ━━━━━

0168 □□□□□□ □

lose *one*'s way

道に迷う
▷ I **lost my way** while climbing a mountain.
私は登山中に道に迷った。

0169 □□□□□□ □

lose one's temper

冷静さを失う
▷ He **lost his temper** when she pointed out his mistake.
彼女がミスを指摘した時、彼は冷静さを失った。

0170 □□□□□□ □

lose face

顔を潰す
▷ He is not someone who **loses your face**.
彼はあなたの顔を潰すような人ではない。

hand | 何かを手渡す

━━━━━ 🔊 Track 104 ━━━━━

0171 □□□□□□ □

hand in ~

～を提出する
▷ Please **hand in** the assignment by this Friday.
今週の金曜日までに課題を提出してください。

0172 □□□□□□ □

hand in hand

手を取り合って
▷ The couple is walking **hand in hand**.
そのカップルは手を取り合って歩いている。

0173 □□□□□□ □

hand out ~

～を配布する
▷ Please **hand out** pamphlets to customers.
客にパンフレットを配布してください。

0174 □□□□□□ □

hand down ~

(伝統・遺産などを後世に) 伝える、残す
▷ Don't **hand down** the environmental problems.
環境問題を後世に残してはいけません。

---

stand

stand のコンセプトは「どんな条件でも立ち続ける」で、そこから
stand one's ground (立場を固持する)、stand guard (歩哨に立つ)
のような表現が生まれます。

🔊 Track 105

0175 □□□□□□ □

stand out

目立つ
▷ The tall man **stands out** in a crowd.
その背の高い男は群衆の中で目立つ。

0176 □□□□□□ □

stand for ~

~に耐える、(頭文字などが) ~の意味を表す
▷ GDP **stands for** gross domestic product.
GDP は国内総生産を表す。

0177 □□□□□□ □

stand by (~)

待機する、~を支援する
▷ He will **stand by** you. 彼はあなたを支持してくれるだろう。

0178 □□□□□□ □

stand in for ~

~の代理を務める
▷ He **stood in for** the chairperson in the meeting.
彼は会議で議長の代理を務めた。

---

let

let のコンセプトは「自由に行動させる」で、そこから Let me try. (私にやらせて。)、
Let me go. (行かせてください。) のような表現が生まれます。

🔊 Track 106

0179 □□□□□□ □

let A down

A を失望させる
▷ Don't **let me down**. 私を失望させないでくれ。

0180 □□□□□ □

let go of ~

~を放す
▷ **Let go of** negative thoughts.
否定的な考えは捨て去りなさい。

0181 □□□□□ □

let alone ~

~は言うまでもなく
▷ I can hardly read English, **let alone** speak it.
私は英語を話すどころか読むこともままならない。

know | 頭の中に存在している

━━━ 🔊 Track 107 ━━━

0182 □□□□□ □

know of ~

~の存在について知っている
▷ I didn't **know of** him. 彼の存在を知らなかった。

0183 □□□□□ □

know better than to *do*

~するほど愚かではない
▷ She **knows better than to** believe such a story.
彼女はそのような話を信じるほど愚かではない。

meet | meetのコンセプトは「出会う」で、そこからmeet the schedule [deadline] (スケジュール [締切り] に間に合わせる) のような表現が生まれます。

━━━ 🔊 Track 108 ━━━

0184 □□□□□ □

meet *one*'s needs

~の必要性を満たす
▷ The employee **met his** company's **needs**.
その従業員は会社の必要性を満たした。

0185 □□□□□ □

meet the deadline

締切りに間に合わせる
▷ She thought she could not **meet the deadline**.
彼女は締め切りに間に合わせられないと思った。

live

live のコンセプトは「生命を持つものがとどまる」で、そこから something to live for (生きがい)、live on rice (米を主食にしている) のような表現が生まれます。

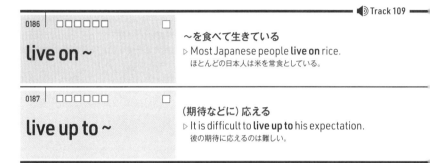

🔊 Track 109

0186 □□□□□ □

live on ~

～を食べて生きている
▷ Most Japanese people **live on** rice.
ほとんどの日本人は米を常食としている。

0187 □□□□□ □

live up to ~

(期待などに) 応える
▷ It is difficult to **live up to** his expectation.
彼の期待に応えるのは難しい。

play

play のコンセプトは「遊びとパフォーマンス」で、そこから play sick (仮病を使う)、play catch (キャッチボールをする) のような表現が生まれます。

🔊 Track 110

0188 □□□□□ □

play a role [part] in ~

～で役割を果たす
▷ He **plays an** important **role in** the team.
彼はチームで重要な役割を果たしている。

0189 □□□□□ □

play a trick on ~

～にいたずらをする
▷ Don't **play a trick on** your little sister.
妹にいたずらをしてはいけません。

throw | 何かを素早く投げる

🔊 Track 111

0190 □□□□□ □

throw away ~

～を捨てる
▷ I'll **throw away** this old computer and buy a new one.
この古いコンピュータを捨てて新しいものを買います。

0191 □□□□□□ □

throw up ~

～を吐く、～を戻す
▷ I feel like **throwing up**. 吐き気がする。

---

check

check のコンセプトは「調べて規制する」で、そこから check out the book from the library (図書館で本を借りる) のような表現が生まれます。

◀» Track 112

0192 □□□□□□ □

check out ~

(図書館で本などを) 借り出す、(ホテルなどで) 会計を済ませて出る、(真実を) 調べる
▷ You can **check out** the book. その本を貸し出しできます。
▷ He is **checking out** the fact. 彼は真実を調べている。

0193 □□□□□□ □

check in

(ホテルなどで) 宿泊の手続きをする、(飛行機の) 搭乗手続きをする
▷ I **checked in** at the hotel at 10 a.m.
午前 10 時にホテルにチェックインした。

---

drop

drop のコンセプトは「垂直方向への落下」で、そこから drop a hint (ヒントをにおわす)、drop a line (一筆便りを書く) のような表現が生まれます。

◀» Track 113

0194 □□□□□□ □

drop out (of ~)

(競争から) 脱落する、(活動・集団) から身を引く
▷ The runner **dropped out of** the leading group.
そのランナーは先頭集団から脱落した。

0195 □□□□□□ □

drop by ~

～にちょっと立ち寄る
▷ I **dropped by** his home yesterday.
昨日彼の家に立ち寄った。

0196 □□□□□□ □

drop in at ~

～に立ち寄る
▷ He **dropped in at** a bookstore on his way home.
彼は帰り道に本屋に立ち寄った。

0197　□□□□□□　□

drop A a line

A に短い手紙を書く
▷ Please **drop me a line** soon.
すぐに私にご一報ください。

---

carry

carryのコンセプトは「何かを持って運ぶ」で、そこから carry electricity（電気を伝導させる）、carry a disease（病気を伝染させる）のような表現が生まれます。

━━━━━━ 🔊 Track 114 ━━━

0198　□□□□□□　□

carry on ~

〜を続ける
▷ They **carried on** a conversation for hours.
彼らは何時間も会話を続けた。

0199　□□□□□□　□

carry out ~

〜を実行する
▷ I **carried out** a survey for my report.
私はレポートのための調査を行った。

0200　□□□□□□　□

carry over ~

〜を持ち越す
▷ The issue **was carried over** into the next meeting.
その問題は次の会議に持ち越された。

---

leave | ある場所を離れる

━━━━━━ 🔊 Track 115 ━━━

0201　□□□□□□　□

leave ~ alone

〜を一人にしておく
▷ Don't **leave me alone**. 一人にしないで。

0202　□□□□□□　□

leave for ~

〜に向けて出発する
▷ I'll **leave for** Japan early the next morning.
明日の早朝に日本に向けて出発します。

Group 3
050 / 050

重要レベル
★ ★ ★ ★

0802 — 0803

0203 □□□□□□ □

leave out ~

～を省く
▷ He **left out** details to explain the problem.
彼は詳細を省いてその問題を説明した。

0204 □□□□□□ □

leave behind ~

～を置き忘れる、～を置き去りにする
▷ He **left behind** his family and worked abroad.
彼は家族を置いて海外で勤務した。

140

❙ 重要基本動詞表現を一気にマスター！
❙ 英検2級基本動詞表現　確認テスト

1.～10. の英文（完成形）は Track 135 で
聞くことができます。

Choose the best answer from among the 10 alternatives below.

1. I have to _____ my lack of sleep by taking a nap.

2. Jonny might _____ to pressure and quit his job.

3. You need to _____ the fact that he is not a professional.

4. We will _____ gas sometime soon.

5. Sooner or later, a war will _____ between the two countries.

6. We will have to _____ our concert until next week.

7. It is necessary to _____ such a bad custom.

8. The rumor will eventually _____ true.

9. Many young people think they cannot _____ cellphones.

10. I often _____ finding what I need in my messy room.

選択肢　take account of, make up for, get rid of, put off, have trouble, give in, break out, run out of, turn out to be, do without

---

正解　1. make up for　　2. give in　　3. take account of　　4. run out of
　　　5. break out　　6. put off　　7. get rid of　　8. turn out to be
　　　9. do without　　10. have trouble

和訳　1. 昼寝をすることによって睡眠不足を補わなければならない。
　　　2. ジョニーはプレッシャーに屈して仕事を辞めるかもしれない。
　　　3. あなたは彼がプロではないことを考慮に入れる必要がある。
　　　4. もう間もなくガソリンがなくなるだろう。
　　　5. 遅かれ早かれその両国の間で戦争が勃発するだろう。
　　　6. 私たちは来週までコンサートを延期しなければならない。
　　　7. そのような悪習は排除する必要がある。
　　　8. その噂はやがて真実だとわかるだろう。
　　　9. 多くの若者は携帯電話なしでやっていけないと考えている。
　　　10. 私はしばしば汚い部屋で必要なものを見つけるのに苦労する。

Chapter 3

2 級必須句動詞

▶ は特に重要なもの

🔊 Track 116

0001 □□□□□□ □

▶ **in advance**

前もって (≒ beforehand)
▷ You should get permission **in advance**.
事前に許可を得るべきだ。

0002 □□□□□□ □

▶ **in place of ~**

~の代わりに (≒ instead of ~)
▷ **In place of** the manager, he attended the meeting.
上司の代わりに彼はその会議に参加した。

0003 □□□□□□ □

in charge of ~

~を担当している (≒ be responsible for ~)
▷ He has been **in charge of** the client for three years.
彼はその顧客を3年間担当している。

0004 □□□□□□ □

▶ **in a row**

1列に、連続して (≒ on end)
▷ The buses are coming **in a row**. バスが立て続けに来ている。

0005 □□□□□□ □

in use

使用中で
▷ The room is **in use** right now. その部屋は現在使用中です。

0006 □□□□□□ □

in contrast to ~

~と対照的に
▷ **In contrast to** the previous model, the new one is expensive.
前のモデルとは異なり、新しいモデルは高い。

0007 □□□□□□ □

in the meantime

そのうちに
▷ **In the meantime**, the problem will be solved.
そのうちに、その問題は解決されるだろう。

0008 □□□□□□ □

in return for ~

~のお返しに (in exchange for ~ は「~と引き換えに」)
▷ I sent her cookies **in return for** chocolate.
チョコレートのお返しにクッキーを彼女に送った。

🔊 Track 117

0009 ☐☐☐☐☐☐ ☐

in vain

無駄に、むなしく
▷ They were searching **in vain** for a solution.
彼らはむなしく解決策を探していた。

0010 ☐☐☐☐☐☐ ☐

⮞ **in case of ~**

~に備えて、もし~が起きたら（in the case of ~（~については）と混同しないように！）
▷ **In case of** emergency, please press this button.
緊急の場合には、このボタンを押してください。

0011 ☐☐☐☐☐☐ ☐

⮞ **in terms of ~**

~に関して（≒ in view of ~）
▷ **In terms of** benefits, the company is attractive.
福利厚生に関して、その会社は魅力的だ。

0012 ☐☐☐☐☐☐ ☐

⮞ **in time**

間に合って、やがて（on time は「予定通りに」）
▷ You will understand my feeling **in time**.
やがて私の気持ちが理解できるでしょう。

0013 ☐☐☐☐☐☐ ☐

in detail

詳細に
▷ Describe the situation **in detail**. 状況を詳しく述べなさい。

0014 ☐☐☐☐☐☐ ☐

in the first place

まず第一に、そもそも（≒ to begin with）
▷ Why didn't you do that **in the first place**?
そもそもなぜそれをしなかったのですか？

0015 ☐☐☐☐☐☐ ☐

in short

手短に言えば（≒ in brief, in summary）
▷ **In short**, you have to complete the task by tomorrow.
手短に言えば、君はその仕事を明日までに終えなければならない。

0016 ☐☐☐☐☐☐ ☐

in honor of ~

~に敬意を表して
▷ **In honor of** his achievement, the president gave Tom a prize.
業績を称えて、社長はトムに賞を与えた。

145

0017 □□□□□ □

in private

こっそりと
▷ She met the man **in private**. 彼女はこっそりその男と会った。

0018 □□□□□ □

in danger of ~

~の危険があって
▷ The company is **in danger of** bankruptcy.
その会社は倒産の危機にある。

0019 □□□□□ □

▶ at the moment

今のところ
▷ **At the moment**, the company is increasing its sales.
今のところ、その会社は売り上げを伸ばしている。

0020 □□□□□ □

▶ at times

時々
▷ He suddenly gets angry **at times**. 彼は時々突然怒り出す。

0021 □□□□□ □

at a loss

途方に暮れて
▷ I was **at a loss** for words. 私は言葉を失い途方に暮れた。

0022 □□□□□ □

at large

全体として
▷ The policy is good for the public **at large**.
その政策は社会全体にとって良いものだ。

0023 □□□□□ □

at hand

手元に
▷ I always have a dictionary **at hand**.
私はいつも手元に辞書を置く。

0024 □□□□□ □

at random

でたらめに
▷ The salesperson was making phone calls **at random**.
その営業担当者は、無作為に電話をかけていた。

🔊 Track 119

0025 ☐☐☐☐☐☐ ☐

▶ **out of control**

制しきれない、手に負えない
▷ The ship is **out of control** due to the storm.
　嵐のため、船は制御不能となっている。

0026 ☐☐☐☐☐☐ ☐

out of order

乱れて、故障して (out of service とも言う)
▷ The elevator is **out of order**. エレベーターは故障中だ。

0027 ☐☐☐☐☐☐ ☐

out of shape

壊れて、体調が悪くて (in shape は「快調で」)
▷ Since I stopped exercising, I have been **out of shape**.
　運動をやめてから体調が悪い。

0028 ☐☐☐☐☐☐ ☐

▶ **on and off**

(雨などが) 降ったり止んだり
▷ It often rains **on and off**. よく雨が降ったりやんだりする。

0029 ☐☐☐☐☐☐ ☐

on the contrary

それに対して (同じ意味の "to the contrary" と違っ
て相手の言葉を否定する場合に使う)
▷ **On the contrary**, he behaved in another way.
　それに対して、彼は別の振舞いをした。

0030 ☐☐☐☐☐☐ ☐

on duty

勤務中で (反対の off duty は「非番」)
▷ No workers were **on duty** when the fire broke out.
　火災が発生した時、誰も勤務中ではなかった。

0031 ☐☐☐☐☐☐ ☐

on purpose

故意に
▷ The player broke a rule **on purpose**.
　その選手は故意に反則をした。

0032 ☐☐☐☐☐☐ ☐

on schedule

時間通りに (よく right を前につける)
▷ The plane took off **on schedule**.
　航空機は定刻通りに離陸した。

🏁 は特に重要なもの

🔊 Track 120

0033 ☐☐☐☐☐ ☐

🏁 **as follows**

以下のように (go as follows とも言う)
▷ The detail of the accident is **as follows**.
その事故の詳細は以下の通りです。

0034 ☐☐☐☐☐ ☐

🏁 **as for ~**

~については
▷ **As for** me, I don't agree with the plan.
私としては、その計画に賛成していない。

0035 ☐☐☐☐☐ ☐

as a matter of fact

実は
▷ **As a matter of fact**, I don't know so much about economics.
実は、私は経済学に関してあまりよく知らない。

0036 ☐☐☐☐☐ ☐

🏁 **to the point**

的を得て (off the point は「要領を得ない」)
▷ His question was **to the point**. 彼の質問は的を得ていた。

0037 ☐☐☐☐☐ ☐

by means of ~

~を用いて
▷ He communicated with foreigners **by means of** gestures.
彼は身ぶり手ぶりで外国人と意思疎通をした。

0038 ☐☐☐☐☐ ☐

by no means

決して~ない
▷ Her performance is getting better, but **by no means** good.
彼女の演技は良くなって来ているが、決して良くはない。

0039 ☐☐☐☐☐ ☐

by chance [accident]

偶然に
▷ I ran into my old friend **by chance**[**accident**].
私は偶然旧友に出会った。

0040 ☐☐☐☐☐ ☐

for free

無料で (free of charge とも言う)
▷ I got the concert ticket **for free**.
そのコンサートチケットを無料で手に入れた。

🔊 Track 121

0041 □□□□□□ □

▶ **for good**

永久に (forever と違って「これを最後にずっと」というニュアンスがある)
▷ He decided to leave his hometown **for good**.
彼は永久に地元を離れることを決心した。

0042 □□□□□□ □

for sure [certain]

確実に
▷ I cannot remember his explanation **for sure[certain]**.
彼の説明をはっきりと思い出すことができない。

0043 □□□□□□ □

for ages

長い間
▷ I have been waiting for him **for ages**.
私は長いこと彼を待っている。

0044 □□□□□□ □

▶ **of use**

役に立って (「非常に役立って」なら of great use)
▷ His knowledge is **of** little **use** for this job.
彼の知識はこの仕事にはほとんど役に立たない。

0045 □□□□□□ □

▶ *be* **aware of ~**

~に気づいている
▷ He **is aware of** changes in consumer demand.
彼は消費者の需要の変化に気づいている。

0046 □□□□□□ □

be / **get used [accustomed] to ~**

~に慣れている (慣れる)
▷ I **got used[accustomed] to** getting up early.
私は早起きに慣れた。

0047 □□□□□□ □

be **sick [tired] of ~**

~にうんざりして
▷ He **was sick[tired] of** constant complaints from customers.
彼は客からの絶え間ない苦情にうんざりしていた。

0048 □□□□□□ □

be **named after ~**

~にちなんで名付けられる
▷ I **was named after** my grandfather.
私は祖父にちなんで名付けられた。

Group 1
064 / 064

重要レベル
★ ★ ★ ★

||||||||||||||||||||||||||||||||||||||||||||||||

0852—0867

🚩 は特に重要なもの

🔊 Track 122

0049 ☐☐☐☐☐ ☐

🚩 **up to ~**

~次第で、~まで

▷ It's **up to** you whether to accept the offer.
その提案を受け入れるかどうかはあなた次第だ。

0050 ☐☐☐☐☐ ☐

🚩 **ahead of ~**

~より進んで

▷ The train arrived at the station **ahead of** time.
電車は定刻より早く駅に到着した。

0051 ☐☐☐☐☐ ☐

under way

進行中で、進捗して (≒ in progress)

▷ A big project is **under way**. 大規模プロジェクトが進行中だ。

0052 ☐☐☐☐☐ ☐

bound for ~

~行きの

▷ This train is **bound for** Tokyo. この電車は東京行きだ。

0053 ☐☐☐☐☐ ☐

behind *one*'s back

人のいない時に、こっそり

▷ She often talks about her friends **behind their back**.
彼女はよく友人の陰口をたたいている。

0054 ☐☐☐☐☐ ☐

🚩 **no more than ~**

たった~、わずか~

▷ There were **no more than** ten people at the concert.
コンサートには、たった 10 人しかいなかった。

0055 ☐☐☐☐☐ ☐

no less than ~

~ほども多くの

▷ There are **no less than** fifty students in my class.
うちのクラスには 50 人もの生徒がいる。

0056 ☐☐☐☐☐ ☐

a wide range of ~

幅広い~

▷ **A wide range of** products are sold at the department store.
そのデパートでは幅広い商品が売られている。

🔊 Track 123

0057 ☐☐☐☐☐☐ ☐

end up ~ing

結局 [最後には] ～になる
▷ They **ended up arguing** again.
彼らは最後にはまた口論になった。

0058 ☐☐☐☐☐☐ ☐

whoever

～する人は誰でも、誰が～でも
▷ **Whoever** comes to the party can get a present.
パーティーに来る人は誰でもプレゼントをもらえる。

0059 ☐☐☐☐☐☐ ☐

in spite of ~

～にもかかわらず (≒ despite ~)
▷ **In spite of** the rain, the party was held outdoors.
雨にもかかわらず、パーティーは外で行われた。

0060 ☐☐☐☐☐☐ ☐

above all

とりわけ (≒ especially)
▷ **Above all**, the area was damaged heavily by the earthquake.
とりわけ、その地域は地震で大きな被害を受けた。

0061 ☐☐☐☐☐☐ ☐

amount to ~

合計で～になる (≒ add up to ~)
▷ His debts **amounted to** one million yen.
彼の借金は 100 万円に達した。

0062 ☐☐☐☐☐☐ ☐

just around the corner

間近に、近づいて
▷ The summer vacation is **just around the corner**.
夏休みが間近に迫っている。

0063 ☐☐☐☐☐☐ ☐

as far as ~ is concerned

～に関する限り、～に言わせれば (≒ as for ~)
▷ **As far as I'm concerned**, he is honest.
私に言わせれば、彼は正直者である。

0064 ☐☐☐☐☐☐ ☐

a man of one's word

約束を守る人
▷ Mr. Smith is known as **a man of his word**.
スミス氏は約束を守る人として知られている。

▶ は特に重要なもの

🔊 Track 124

0065 ☐☐☐☐☐ ☐

▶ **in the end**

結局
▷ **In the end**, he quit the job and became a freelancer.
結局、彼は仕事を辞めてフリーランサーになった。

0066 ☐☐☐☐☐ ☐

▶ **in person**

自分で
▷ I will meet my client **in person**. 私は顧客に直接会います。

0067 ☐☐☐☐☐ ☐

in a sense

ある意味では (≒ in a way)
▷ **In a sense**, his suggestion is right.
ある意味では彼の提案は正しい。

0068 ☐☐☐☐☐ ☐

in any case

どのみち (≒ at any rate)
▷ **In any case**, you have to go there.
どのみち君はそこへ行かなければならない。

0069 ☐☐☐☐☐ ☐

in demand

需要があって
▷ Expensive apartments are high **in demand**.
高級アパートの需要が高い。

0070 ☐☐☐☐☐ ☐

in conclusion

結論として (≒ sum up)
▷ **In conclusion**, I agree with his opinion.
結論として、私は彼の意見に賛成です。

0071 ☐☐☐☐☐ ☐

in [by] turns

順に
▷ The teacher told them to sing the song **in[by] turns**.
先生は彼らに順番にその歌を歌うように言った。

0072 ☐☐☐☐☐ ☐

in one's 20s [~100s]

20 [～ 100] 歳代で
▷ He must be **in his 20s**. 彼は 20 代に違いない。

0073 □□□□□　□

▶ **on one's own**

独力で (≒ by oneself)
▷ He will succeed **on his own**. 彼は独力で成功するでしょう。

0074 □□□□□　□

▶ **on the whole**

概して (≒ in general)
▷ **On the whole**, the event was successful.
全体的に、そのイベントは成功だった。

0075 □□□□□　□

on the go [move]

絶えず活動 [移動] して
▷ Many salaried workers are always **on the go[move]**.
多くのサラリーマンはいつも働き詰めだ。

0076 □□□□□　□

▶ **on sale**

販売されて
▷ These books are **on sale** at half price.
これらの本は半額で売られている。

0077 □□□□□　□

▶ **on earth**

(疑問・否定を強めて) 一体全体
▷ What **on earth** is happening?
一体全体、何が起こっているのですか?

0078 □□□□□　□

on average

平均で
▷ **On average**, adults sleep less than six hours a night.
平均で大人の一晩の睡眠時間は 6 時間未満だ。

0079 □□□□□　□

on the spot

即座に
▷ He made a decision **on the spot**.
彼は即座に決断を下した。

0080 □□□□□　□

on the condition that ~

~という条件で
▷ I will go there **on the condition that** I can get some money.
いくらかお金をもらえる条件でそこに行きます。

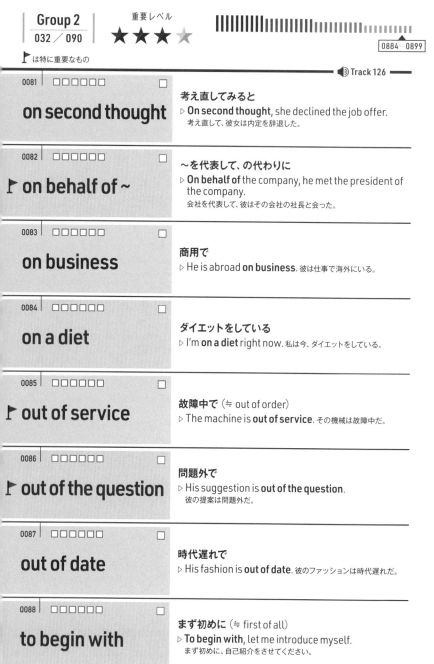

重要レベル
★★★☆

▶ は特に重要なもの

◀) Track 126

0081 □□□□□□ □

on second thought

考え直してみると
▷ **On second thought**, she declined the job offer.
考え直して、彼女は内定を辞退した。

0082 □□□□□□ □

▶ **on behalf of ~**

~を代表して、の代わりに
▷ **On behalf of** the company, he met the president of the company.
会社を代表して、彼はその会社の社長と会った。

0083 □□□□□□ □

on business

商用で
▷ He is abroad **on business**. 彼は仕事で海外にいる。

0084 □□□□□□ □

on a diet

ダイエットをしている
▷ I'm **on a diet** right now. 私は今、ダイエットをしている。

0085 □□□□□□ □

▶ **out of service**

故障中で (≒ out of order)
▷ The machine is **out of service**. その機械は故障中だ。

0086 □□□□□□ □

▶ **out of the question**

問題外で
▷ His suggestion is **out of the question**.
彼の提案は問題外だ。

0087 □□□□□□ □

out of date

時代遅れで
▷ His fashion is **out of date**. 彼のファッションは時代遅れだ。

0088 □□□□□□ □

to begin with

まず初めに (≒ first of all)
▷ **To begin with**, let me introduce myself.
まず初めに、自己紹介をさせてください。

0089	□□□□□ □

to the contrary

それとは反対に (≒ on the contrary)
▷ **To the contrary**, the crisis brought people together.
逆に、その危機は人々を団結させた。

0090	□□□□□ □

to the effect that ~

~という旨の
▷ I received a letter **to the effect that** the rent would be raised.
家賃が値上げになるという旨の手紙を受け取った。

0091	□□□□□ □

⊩ **at the cost of ~**

~を犠牲にして
▷ He succeeded **at the cost of** his health.
彼は健康を犠牲にして成功を収めた。

0092	□□□□□ □

⊩ **at first**

当初は (first「まず最初に」と混同しないように!)
▷ **At first**, I thought he was an honest man.
当初、私は彼のことを正直な人だと思った。

0093	□□□□□ □

⊩ **at present**

現在は
▷ **At present**, the book has not been translated into English.
現在のところ、その本は英訳されていない。

0094	□□□□□ □

at most

せいぜい
▷ The food served at the restaurant is **at most** second-class.
そのレストランで出される食べ物はせいぜい二流だ。

0095	□□□□□ □

at heart

心底は、根は
▷ He is an honest man **at heart**. 彼は根が正直だ。

0096	□□□□□ □

at the sight of ~

~を見て
▷ She was surprised **at the sight of** the accident.
彼女はその事故を見て驚いた。

▶ は特に重要なもの

🔊 Track 128

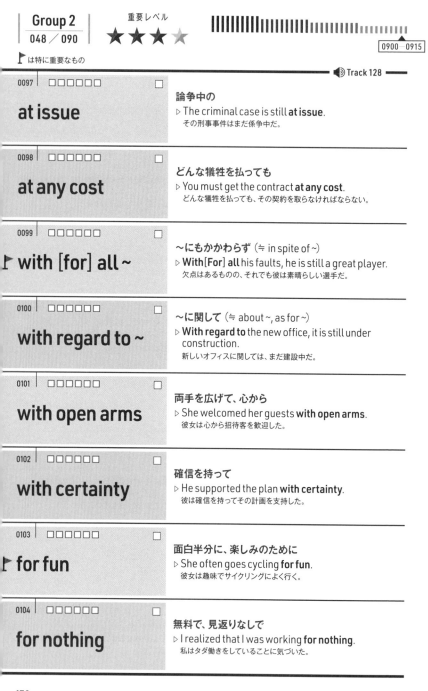

| 0097 | □□□□□□ | □ |

at issue

論争中の
▷ The criminal case is still **at issue**.
その刑事事件はまだ係争中だ。

| 0098 | □□□□□□ | □ |

at any cost

どんな犠牲を払っても
▷ You must get the contract **at any cost**.
どんな犠牲を払っても、その契約を取らなければならない。

| 0099 | □□□□□□ | □ |

▶ with [for] all ~

~にもかかわらず (≒ in spite of ~)
▷ **With[For] all** his faults, he is still a great player.
欠点はあるものの、それでも彼は素晴らしい選手だ。

| 0100 | □□□□□□ | □ |

with regard to ~

~に関して (≒ about ~, as for ~)
▷ **With regard to** the new office, it is still under construction.
新しいオフィスに関しては、まだ建設中だ。

| 0101 | □□□□□□ | □ |

with open arms

両手を広げて、心から
▷ She welcomed her guests **with open arms**.
彼女は心から招待客を歓迎した。

| 0102 | □□□□□□ | □ |

with certainty

確信を持って
▷ He supported the plan **with certainty**.
彼は確信を持ってその計画を支持した。

| 0103 | □□□□□□ | □ |

▶ for fun

面白半分に、楽しみのために
▷ She often goes cycling **for fun**.
彼女は趣味でサイクリングによく行く。

| 0104 | □□□□□□ | □ |

for nothing

無料で、見返りなしで
▷ I realized that I was working **for nothing**.
私はタダ働きをしていることに気づいた。

0105 □□□□□□ □

▶ **for** *one*'s **age**

年の割に
▷ The old man looks young **for his age**.
　その老人は年齢の割に若く見える。

0106 □□□□□□ □

for the worse

悪い方向に
▷ Things are changing **for the worse**.
　事態は悪化してきている。

0107 □□□□□□ □

▶ **for one's own good**

~のために
▷ He is scolding you **for your own good**.
　彼はあなたのために叱っているところである。

0108 □□□□□□ □

beside the point

要点を外れた
▷ Your remark is **beside the point**. 君の発言は的外れだ。

0109 □□□□□□ □

beside that

その上 (≒ in addition)
▷ He is handsome, and **beside that** he is rich.
　彼はハンサムで、その上金持ちだ。

0110 □□□□□□ □

beside oneself with ~

~で我を忘れる
▷ I was **beside myself with** joy. 私は喜びのあまり我を忘れた。

0111 □□□□□□ □

from time to time

時々
▷ **From time to time**, he fought with his brother.
　時々、彼は兄と喧嘩した。

0112 □□□□□□ □

▶ **from now on**

今後は
▷ **From now on**, I will report to you by e-mail.
　今後は、E メールで報告します。

▶ は特に重要なもの

◀)) Track 130

0113 ☐☐☐☐☐☐ ☐

▶ **by way of ~**

~経由で
▷ I went to Washington, D.C. **by way of** Chicago.
私はシカゴ経由でワシントン D.C. に行った。

0114 ☐☐☐☐☐☐ ☐

by nature

生まれつき
▷ Some people are talkative **by nature**.
生まれつきおしゃべりな人たちがいる。

0115 ☐☐☐☐☐☐ ☐

**over and over
again**

何度も何度も
▷ He checked the report **over and over again**.
彼は何度も何度もレポートを確認した。

0116 ☐☐☐☐☐☐ ☐

**over a cup of
coffee**

コーヒーを飲みながら
▷ Let's discuss the matter **over a cup of coffee**.
コーヒーを飲みながら、その問題について話し合いましょう。

0117 ☐☐☐☐☐☐ ☐

without (a) doubt

間違いなく
▷ He will pass the test **without (a) doubt**.
彼は間違いなくテストに合格する。

0118 ☐☐☐☐☐☐ ☐

without fail

必ず、きっと
▷ You will win the game **without fail**. 君はきっと試合に勝つ。

0119 ☐☐☐☐☐☐ ☐

▶ **as usual**

いつも通りに
▷ **As usual**, she is cheerful. 彼女はいつも通り元気だ。

0120 ☐☐☐☐☐☐ ☐

as a rule

一般に、通常、概して (≒ in general)
▷ **As a rule**, students don't like homework.
一般に、学生は宿題が好きではない。

158

● Track 131

0121 ☐☐☐☐☐☐ ☐

(for) next to nothing

ほとんど何もない、ただ同然で
▷ I bought the old bag **for next to nothing**.
私はその古いかばんをただ同然で買った。

0122 ☐☐☐☐☐☐ ☐

next to impossible

ほとんど不可能な (≒ almost impossible)
▷ His plan is **next to impossible**.
彼の計画はほとんど不可能だ。

0123 ☐☐☐☐☐☐ ☐

⚑ **under construction**

建築中で
▷ A new hospital is **under construction**.
新しい病院が建築中だ。

0124 ☐☐☐☐☐☐ ☐

all the year around

一年中
▷ She is busy **all the year around**.
彼女は一年中忙しくしている。

0125 ☐☐☐☐☐☐ ☐

behind schedule

予定に遅れて (on schedule は「予定通りで」)
▷ The train is slightly **behind schedule**.
その電車はわずかに予定より遅れている。

0126 ☐☐☐☐☐☐ ☐

⚑ **along with ~**

~と一緒に
▷ **Along with** rising fuel prices, taxes were raised.
燃料価格の上昇と共に税金も引き上げられた。

0127 ☐☐☐☐☐☐ ☐

⚑ **up-to-date**

最新の
▷ We need to buy **up-to-date** equipment.
最新の機器を買う必要がある。

0128 ☐☐☐☐☐☐ ☐

together with ~

~と一緒に
▷ He went abroad, **together with** his brother.
彼は兄と共に海外に行った。

は特に重要なもの

● Track 132

0129 □□□□□□ □

regardless of ~

~とは関係なく
▷ **Regardless of** age, the company employs talented engineers.
年齢は関係なく、その会社は有能な技術者を雇う。

0130 □□□□□□ □

far from ~

~からは程遠い (≒ not in the least)
▷ It was **far from** a success. それは成功には程遠かった。

0131 □□□□□□ □

apart from ~

~は別として
▷ **Apart from** comics, he does not read anything.
漫画を除いて、彼は何も読まない。

0132 □□□□□□ □

side by side

並んで
▷ The students are sitting **side by side**.
学生たちが並んで座っている。

0133 □□□□□□ □

contrary to ~

~に反して
▷ **Contrary to** my expectation, the product does not sell well.
私の予想に反して、その製品は売り上げが良くない。

0134 □□□□□□ □

across from ~

~の向かいに
▷ He lives **across from** the school.
彼は学校の向かいに住んでいる。

0135 □□□□□□ □

be free of ~

(料金・税金などが) 免除された
▷ All these items **are free of** charge.
これらの商品全てが無料です。

0136 □□□□□□ □

be capable of ~ing

~する能力がある
▷ She **is capable of multitasking** efficiently.
彼女は効率よくマルチタスクができる。

0137 □□□□□□ □

be covered with ~

~で覆われている
▷ The roof of my house **is covered with** snow.
家の屋根は雪で覆われている。

0138 □□□□□□ □

be popular with ~

~に人気のある
▷ The singer **is popular with** the young generation.
その歌手は若い世代に人気だ。

0139 □□□□□□ □

be impressed with ~

~に感銘を受けて
▷ I **was impressed with** her wonderful piano performance.
私は彼女の素晴らしいピアノ演奏に感銘を受けた。

0140 □□□□□□ □

be through with ~

~を終えて、~と絶交して
▷ Since the argument, he has **been through with** his best friend.
言い争いをして以来、彼は親友と絶交している。

0141 □□□□□□ □

be in full bloom

満開で
▷ Cherry blossoms **are in full bloom**. 桜の花が満開です。

0142 □□□□□□ □

be particular about ~

~にこだわる、~について好みがうるさい
▷ I'm **particular about** food.
私は食べ物にこだわりがある。

0143 □□□□□□ □

be subject to ~

~にさらされている、~しがちである
▷ The small country **is subject to** attack by other countries.
その小国は他国からの攻撃にさらされている。

0144 □□□□□□ □

be familiar with ~

~に詳しい
▷ He **is familiar with** the financial industry.
彼は金融業界に詳しい。

🏴 は特に重要なもの

🔊 Track 134

0145 ☐☐☐☐☐☐ ☐
be worried about ~

~について心配している
▷ He **is worried about** the mistake.
その失敗について彼は心配している。

0146 ☐☐☐☐☐☐ ☐
be short of ~

~が不足している
▷ The country **is** always **short of** water.
その国はいつも水が不足している。

0147 ☐☐☐☐☐☐ ☐
be independent of ~

~に無関係で
▷ The extinction of the species **is independent of** human activities.
その種の絶滅は人類の活動とは無関係だ。

0148 ☐☐☐☐☐☐ ☐
🏴 **regard A as B**

A を B とみなす
▷ He **regarded** the meeting **as** a waste of time.
彼はその会議を時間の無駄だと考えた。

0149 ☐☐☐☐☐☐ ☐
🏴 **compared with ~**

~と比べて
▷ **Compared with** his elder brother, he is much stronger.
兄と比べると、彼はずっと力が強い。

0150 ☐☐☐☐☐☐ ☐
take off

離陸する
▷ The plane will **take off** soon.
その飛行機はすぐに離陸します。

0151 ☐☐☐☐☐☐ ☐
hope for ~

~を期待する
▷ The customer **hoped for** a discount.
その客は割引を期待した。

0152 ☐☐☐☐☐☐ ☐
get/be in contact [touch] with ~

~と接触する
▷ He cannot **get in contact[touch] with** his teacher.
彼は先生と連絡を取ることができない。

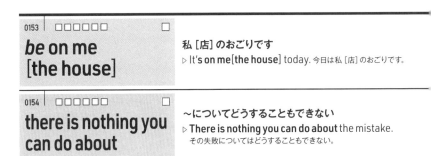

0153 □□□□□□ □

***be* on me [the house]**

私 [店] のおごりです
▷ It's on me[the house] today. 今日は私 [店] のおごりです。

0154 □□□□□□ □

there is nothing you can do about

～についてどうすることもできない
▷ There is nothing you can do about the mistake.
その失敗についてはどうすることもできない。

Choose the best answer from among the 10 alternatives below.

1. It is ＿＿＿＿＿＿＿ you whether you will take the test.

2. He is suspected of having played badly ＿＿＿＿＿＿＿ at the tennis game.

3. He tried to persuade her, but his efforts were ＿＿＿＿＿＿＿.

4. You should learn something that is ＿＿＿＿＿＿＿ in the future.

5. Kelly was ＿＿＿＿＿＿＿ to explain why she had quit the school.

6. The construction work is ＿＿＿＿＿＿＿ due to the big earthquake.

7. We enjoyed the outdoor activity ＿＿＿＿＿＿＿ the bad weather.

8. The pianist's performance was ＿＿＿＿＿＿＿ perfect.

9. Nina often travels abroad and she is ＿＿＿＿＿＿＿ various cultures.

10. I used stairs because the elevator was ＿＿＿＿＿＿＿.

選択肢 of use, in vain, on purpose, behind schedule, far from,
up to, familiar with, out of service, in spite of, at a loss

正解
1. up to	2. on purpose	3. in vain	4. of use
5. at a loss	6. behind schedule	7. in spite of	8. far from
9. familiar with	10. out of service		

和訳
1. そのテストを受けるかどうかはあなた次第だ。
2. 彼はテニスの試合で故意にひどいプレーをしたと疑われている。
3. 彼は彼女を説得しようとしたが、その努力は無駄だった。
4. あなたは将来に役立つことを学ぶべきだ。
5. ケリーはなぜ退学になったのかを説明するのに途方に暮れた。
6. その建設工事は大地震のために遅れている。
7. 私たちは悪天候にも関わらず、屋外活動を楽しんだ。
8. そのピアニストの演奏は完璧とは程遠いものだった。
9. ニーナはよく海外旅行に行くので、様々な文化に馴染みがある。
10. エレベーターが故障していたので、階段を使った。

Chapter 4

英単語の語源をまとめてチェック！

re (再び) + move (動かす)
→ remove

re は「再び」「くり返し」「後ろへ」「もとへ」「強意」

□ **recommend** – re (強意) + commend (勧める)
→ 推薦する、奨励する

□ **remove** – re (後ろへ) + move (動かす)
→ 脱ぐ、取り除く、削除

□ **renew** – re (再び) + new (新しい)
→ 更新する、再び始める

□ **represent** – re (強意) + present (提出する、述べる、示す)
→ 表す、描く、代表する、説明する、上演する、相当する

□ **resource** – re (再び) + source (わき出る)
→ 資源、財産、手段、機転

□ **reflect** – re (もとへ) + flect (曲げる)
→ 反射する、映す、反映する、反省する

□ **release** – re (もとに) + lease (ゆるめる)
→ 解放 (する)、免除 (する)、公表 (公開) する

□ **resign** – re (反対に) + sign (署名する)
→ 辞職する、断念する

□ **restrain** – re (後ろへ) + strain (縛りつける)
→ 抑制する、やめさせる、制限する

2

con（共に）
+front（向かう）
→confront

co, con, com は「共に」「全く」

□ **common** – com (共に) + mon (共有の)
→ 共通の、普通の

□ **compromise** – com (共に) + promise (約束する)
→ 妥協

□ **confuse** – con (共に) + fuse (注ぐ)
→ 混同する、困惑する

□ **confront** – con (共に) + front (向かう) → 対面する

□ **consent** – con (共に) + sent (感じる) → 同意する

□ **conflict** – con (共に) + flict (打つ) → 闘争、衝突

□ **constitution** – con (共に) + stitute (組み立てる)
→ 構成、体格、憲法

□ **consequence** – con (共に) + sequence (従うこと)
→ 結果、重要さ

□ **concern** – con (共に) + cern (ふるいわける)
→ 関係する、関する

□ **contemporary** – con (共に) + tempo (時)
→ 同時代 (の人)、現代の (人)

□ **colleague** – co (共に) + league (リーグ) → 同僚

□ **compare** – com (共に) + par (等しい) → 比較する

□ **cooperate** – co (共に) + operate (働く) → 協力する

□ **confess** – con (全く) + fess (認める) → 白状する

□ **confine** – con (全く) + fine (境界をつける)
→ 制限する、監禁する

□ **confirm** – con (全く) + firm (固める)
→ 確かめる、固める

□ **comprehend** – com (全く) + prehend (つかむ)
→ 理解する

3

ex(外へ)＋pedi(足)
→expedition

ex は「外へ、全く、前の」

□ **exchange** – ex(外へ) + change(変える)
→ 交換(する)、取りかわす

□ **exclude** – ex(外へ) + clude(閉める)
→ 締め出す、除外する

□ **expedition** – ex(外へ) + pedi(足) → 遠征、探検

□ **explain** – ex(全く) + plain(明白) → 説明する

□ **experiment** – ex(全く) + peri(やってみる) → 実験(する)

□ **explode** – ex(外へ) + plode(拍手かっさいする)
→ 爆発する(させる)

□ **explore** – ex(外へ) + plore(叫ぶ) → 探検する

□ **expose** – ex(外へ) + pose(置く) → さらす、暴露する

□ **exploit** – ex(外へ) + ploit(広げる)
→ 開発する、利用する

□ **extract** – ex(外へ) + tract(引く) → 抜粋する、引き抜く

□ **extinct** – ex(全く) + stinct(火を消す) → 死滅した

4

in(中に)＋come(入って来る)
→income

in, im は「中へ」「中に」「上に」

□ **income** – in(中に) + come(入って来る) → 収入、所得

□ **insight** – in(中を) + sight(見ること) → 洞察(力)、識見

□ **investigate** – in(中を) + vestige(跡) → 調査する

□ **intend** – in(中へ) + tend(伸ばす)
→ 意図する、つもりである

□ **imply** – in(中に) + ply(折り込む)
→ 暗に意味する、ほのめかす

□ **instinct** – in(上に) + stinct(刺す) → 本能、才能

□ **impress** – im(上に) + press(押す)
→ 感銘(印象)を与える

□ **impulse** – im(上に) + pulse(押しやる) → 衝動、推進力

□ **insult** – in(上に) + sult(跳ぶ) → 侮辱(する)

□ **institute** – in(上に) + stitute(立てる)
→ 制定する、学会、原理

□ **instrument** – in(上に) + stru(積む)
→ 道具、楽器、手段

5

pre (前に)
+caution (用心)
→precaution

pre は「前に」「前もって」

□ **precaution** – pre (前に) + caution (用心) → 用心

□ **precede** – pre (前に) + cede (行く) → 先立つ、優先する

□ **predecessor** – pre (前に) + cess (行く)
   → 前任者、前身

□ **predict** – pre (前に) + dict (言う) → 予言する

□ **preface** – pre (前に) + face (話す) → 序文

□ **prejudice** – pre (前に) + judice (判断する) → 偏見

□ **predominant** – pre (前に) + dominant (支配的な)
   → 卓越した、有力な

□ **prescribe** – pre (前に) + scribe (書く)
   → 指示する、規定する、処方する

□ **preserve** – pre (前に) + serve (保つ)
   → 保つ、守る、保存する

□ **prevail** – pre (前に) + vail (力がある)
   → 打ち勝つ、普及する

□ **previous** – pre (前の) + vious (道で) → 前の

6

de (下へ)
+cay (崩れ落ちる)
→decay

de は「分離」「下降」「否定」「強意」「悪化」

□ **decay** – de (下へ) + cay (崩れ落ちる)
   → 腐敗する、衰える

□ **define** – de (完全に) + fine (境界をつける)
   → 定義する、限定する

□ **demand** – de (強意) + mand (命令する)
   → 需要、要求 (する)

□ **deposit** – de (下に) + posit (置く) → 置く、預ける、預金

□ **depress** – de (下に) + press (押す)
   → 抑圧する、憂うつにさせる

□ **deprive** – de (完全に) + prive (奪う) → 奪う

□ **derive** – de (〜から) + rive (流す) → 由来する、引き出す

□ **descend** – de (下に) + scend (登る) → 下る、伝わる

□ **describe** – de (下に) + scribe (書く) → 描写する

□ **despair** – de (否定) + spair (望む) → 絶望 (する)

7

en, em は「〜にする」

- □ **enforce** – en (〜にする) + force (力)
  ➡ 施行する、強要する
- □ **enrich** – en (〜にする) + rich (豊か) ➡ 豊かにする
- □ **enlighten** – en (〜にする) + light (光) ➡ 啓発する
- □ **entitle** – en (〜にする) + title (題)
  ➡ 題をつける、資格を与える
- □ **enroll** – en (〜にする) + roll (一巻き、名簿)
  ➡ 名簿に記載する、入会させる
- □ **enlarge** – en (〜にする) + large (大きい)
  ➡ 大きくする、引き伸ばす
- □ **enclose** – en (〜にする) + close (閉じる)
  ➡ 囲む、同封する
- □ **embrace** – en (〜にする) + brace (腕)
  ➡ 抱きしめる、含む
- □ **employ** – em (〜にする) + ploy (包み込む)
  ➡ 雇う、使用する

en (〜にする)
+ force (力)
→ enforce

8

pro は「前の」「先の」

- □ **procedure** – pro (前に) + ceed (進む)
  ➡ 手順、処置、正式な手続き
- □ **profess** – pro (前に) + fess (述べる)
  ➡ 公言する、明言する、ふりをする
- □ **proficient** – pro (前に) + fic (作る) ➡ 熟練した
- □ **prolong** – pro (前へ) + long (長く) ➡ 延長する
- □ **prominent** – pro (前へ) + minent (突出した)
  ➡ 突き出た、目立った、著名な
- □ **prospect** – pro (先を) + spect (見る) ➡ 見込み、ながめ
- □ **profound** – pro (先の) + found (底の) ➡ 深い、難解な
- □ **profit** – pro (前へ) + fit (作る) ➡ 利益 (を得る)
- □ **prompt** – pro (前に) + mpt (取る) ➡ 敏速な

pro (前に) + fic (作る)
→ proficient

9

con（全く）
+ fine（境界をつける）
→ confine

fine は「境界」「純度を高める」
□ **confine** － con（全く）＋ fine（境界をつける）
   → 制限する、監禁する
□ **define** － de（完全に）＋ fine（境界をつける）
   → 定義する、限定する
□ **refine** － re（強意）＋ fine（純度を高める）
   → 精製する、上品にする

10

dis（やめる）
+ appoint（約束）
→ disappoint

dis は「分離する」「やめる」
□ **disappoint** － dis（やめる）＋ appoint（約束）
   → 失望させる
□ **disarmament** － dis（やめる）＋ armament（軍備）
   → 軍備縮小
□ **discriminate** － dis（分離）＋ cri（分ける）→ 区別する
□ **dispense** － dis（分離）＋ pense（はかる）→ 分配する
□ **dispose** － dis（分離）＋ pose（置く）→ 処理する
□ **dispute** － dis（分離）＋ pute（思う）→ 論争（する）
□ **discharge** － dis（除く）＋ charge（積荷）
   → 降ろす、発射する、排出する
□ **disgrace** － dis（反）＋ grace（面目）→ 不名誉

un (～でない)
+common (ありふれた)
→uncommon

un は「～でない」「～と反対」

- **unavoidable** – un (～でない) + avoidable (避けられる)
  → 避けられない
- **unbearable** – un (～でない) + bearable (耐えられる)
  → 耐えられない
- **uncommon** – un (～でない) + common (ありふれた)
  → めったにない
- **undesirable** – un (～でない) + desirable (望ましい)
  → 望ましくない
- **undeniable** – un (～でない) + deniable (否定できる)
  → 否定できない
- **uneasy** – un (～でない) + easy (安楽な、気楽な)
  → 不安な、楽でない
- **unusual** – un (～でない) + usual (いつもの、通例の)
  → 普通でない、異常な
- **unlock** – un (～と反対) + lock (錠をおろす)
  → 錠を開ける

trans (越えて)
+form (形作る)
→transform

trans は「越えて」「横切って」

- **transform** – trans (越えて) + form (形作る)
  → 変形させる
- **transact** – trans (越えて) + act (行う) → 行う
- **transfer** – trans (越えて) + fer (運ぶ)
  → 移動させる、転任させる
- **transparent** – trans (越えて) + parent (現れる)
  → 透明な
- **transplant** – trans (他の所へ) + plant (植える)
  → 移植する、移す
- **transport** – trans (越えて) + port (運ぶ) → 輸送する
- **transcend** – trans (超えて) + scend (登る)
  → 超える、超越する

13

pre（前に）+ dict（言う）
→ predict

dic(t), log は「言う」「言葉」
- **contradict** – contra（逆に）+ dict（言う）
  - → 否定する、矛盾する
- **predict** – pre（前に）+ dict（言う）→ 予言する
- **dedicate** – de（下に）いると dic（言う）→ 捧げる
- **dialogue** – dia（間で）+ log（言葉）→ 対話、会話
- **catalog** – cata（完全に）+ log（言葉）→ 目録、カタログ
- **apologize** – apo（離れて）+ log（言う）
  - → 謝る、謝罪する

14

over（上を）+ look（見る）
→ overlook

over は「上に」「過度に」
- **overcome** – over（上に）+ come（来る）
  - → 打ち勝つ、克服する
- **overlook** – over（上を）+ look（見る）
  - → 見渡せる、見逃す
- **overtake** – over（越えて）+ take（取る）
  - → 追いつく、追い越す
- **overwhelm** – over（越えて）+ whelm（沈める）
  - → 圧倒する、苦しめる
- **overestimate** – over（過度に）+ estimate（評価する）
  - → 過大評価する
- **oversleep** – over（越えて）+ sleep（眠る）→ 寝過ごす

out(外に)+door(ドア)
→outdoor

out は「外に」「より以上に」

□ **outcome** – out (外に) + come (出て来る) → 結果、成果
□ **outdoors** – out (外に) + door (ドア) → 戸外
□ **outlook** – out (外を) + look (見る)
　→ 見晴らし、見通し、見解
□ **output** – out (外に) + put (置く) → 生産高、出力
□ **outstanding** – out (外に) + stand (立つ)
　→ 目立った、未解決の

fore(前もって)
+cast(動かす)
　→forecast

for は「離れて」「禁止」「無視」「完全に」

□ **forbid** – for (対して) + bid (命令する) → 禁ずる
□ **forgive** – for (完全に) + give (与える) → 許す
□ **forecast** – fore (前もって) + cast (投げる)
　→ 予言、予報 (する)
□ **foresee** – fore (前もって) + see (見る)
　→ 予感する、予見する

gener(生む)+ation(こと)
　→generation

gen は「生じる」「生まれ」「種族」

□ **gender** – gener, genus, genre (種類、種族、性)
　→ (社会的・文化的役割としての) 性
□ **generate** – gener (産む) + ate (させる)
　→ 生み出す、発生させる
□ **generation** – gener (産む) + ation (こと)
　→ 世代、同時代の人
□ **generous** – gener (生まれ) + ous (の特徴を有する)
　→ 寛大な
□ **genuine** – 生まれつきの → 生来の、本物の、純粋の

18

port（再び）+ able（動かす）
→portable

port, fer は「運ぶ」
□ **export** – ex（外へ）+ port（運ぶ）→ ～を輸出する
□ **import** – im（中に）+ port（運ぶ）→ ～を輸入する
□ **portable** – port（運ぶ）+ able（できる）→ 持ち運べる
□ **transport** – trans（別の所へ）+ port（運ぶ）
　→ 運ぶ、輸送する、輸送
□ **conference** – con（一緒に）+ fer（運ぶ）+ ence（名詞化）
　→ 会議、協議会
□ **infer** – in（中へ）+ fer（運ぶ）→ 推論する、暗示する
□ **refer** – re（もとへ）+ fer（運ぶ）
　→ ～に言及する、～を参照する
□ **transfer** – trans（越えて）+ fer（運ぶ）
　→ 移動させる、転任させる

19

mis（悪い）
+fortune（運命）
→misfortune

mis は「誤って」「悪く」
□ **misfortune** – mis（悪い）+ fortune（運命）→ 不運
□ **miscalculate** – mis（誤って）+ calculate（計算する）
　→ 計算違いする
□ **misinterpret** – mis（誤って）+ interpret（説明する）
　→ 誤解する、誤訳する
□ **misplace** – mis（誤って）+ place（置く）
　→ 置き間違える

20

trans（別の場所へ）
+mit（送る）
　→transmit

mit は「送る」「投げる」
□ **transmit** – trans（別の場所へ）+ mit（送る）
　→ 送り届ける、伝える
□ **commit** – com（共に）+ mit（送る）→ 委託する、犯す
□ **admit** – ad（向かって）+ mit（送る）→ 認める
□ **submit** – sub（下に）+ mit（送る）→ 提出する

21

per(再び)＋pend(動かす)
→perpendicular

per は「完全に」「通して」
□ **perceive** – per (完全に) + ceive (つかむ) → 知覚する
□ **permit** – per (通して) + mit (送る) → 許す、許可する
□ **perpendicular** – per (完全に) + pend (ぶら下がった)
 → 垂直の、直立の
□ **persist** – per (一貫して) + sist (立つ) → ～に固執する、貫く
□ **perspective** – per (完全に) + spect (見る)
 → 遠近法、大局、観点

22

primary industries

prim, prin は「第 1 の」
□ **primary** – 第 1 位の、主要な、最初の
□ **prime** – 主要な、最良の
□ **principal** – 主要な、元金 (の)
□ **primitive** – 原始的な、根本の、原始人

23

bank(銀行)＋rupt(破れる)
→bankrupt

rupt は「破れる」
□ **bankrupt** – bank (銀行) + rupt (破れる)
 → 破産した、支払能力のない
□ **corrupt** – co (完全に) + rupt (破れる)
 → 堕落した、汚職の
□ **eruption** – e (外) + rupt (破れる)
 → 爆発、噴出 (物)、発生、発疹
□ **disrupt** – dis (分離) + rupt (破れる)
 → 分裂させる、混乱させる
□ **interrupt** – inter (～の間) + rupt (破壊する)
 → 邪魔をする、中断する

24

tain は「持つ」
- **contain** — con（一緒に）+ tain（保持する）→ ～を含む
- **obtain** — ob（～に向かって）+ tain（保持する）
   → ～を得る
- **retain** — re（後ろに）+ tain（保持する）
   → 持ち続ける、維持する
- **sustain** — sus（下から）+ tain（支える）
   → 持続する、耐える、支える
- **detain** — de（下に）+ tain（持つ）→ 引き留める、留置する
- **abstain** — ab（分離）+ tain（持つ）→ 控える、棄権する

25

re（後ろへ）+ ced（行く）
 →recede

cede, cess, ceed は「行く」
- **exceed** — ex（～から離れて）+ ceed（行く）→ 越える、勝る
- **precede** — pre（前に）+ cede（行く）→ 先立つ、優先する
- **procedure** — pro（前に）+ ceed（進む）
   → 手順、処置、正式な手続き
- **proceed** — pro（前に）+ ceed（進む）→ 進む、続ける
- **recede** — re（後ろへ）+ ced（行く）→ 後退する、手を引く

26

con（完全に）+cise（切る）
 →concise

cide, cise は「切る」
- **concise** — con（完全に）+ cise（切る）→ 簡潔な、簡明な
- **precise** — pre（前を）+ cise（切る）→ 正確な、緻密な
- **suicide** — sui（自分）+ cide（切る）→ 自殺

27

con (一緒に) + duct (導く)
→ conduct

duc(e), duct は「導く」

□ **produce** – pro (前に) + duce (導く) → 製造する、生産する
□ **conduct** – con (一緒に) + duct (導く)
　→ 指揮する、案内する、行う
□ **induce** – in (中に) + duce (導く)
　→ 説いて~させる、誘発する
□ **reduce** – re (後ろへ) + duce (導く)
　→ 減少させる (する)、変える

28

blah blah blah……

flu (流れる)
+ ent (形容詞化)
　→ fluent

flu は「流れる」

□ **fluid** –流動性の、流動的な
□ **fluent** – flu (流れる) + ent (形容詞化)
　→ 流暢な、なだらかな
□ **influence** – in (中に) + flu (流れる) + (名詞化)
　→ 影響、感化、勢力

29

inter (再び)
+ rupt (動かす)
　→ interrupt

inter は「~の間に」「中へ」

□ **interfere** – inter (間で) + fere (打つ)
　→ 邪魔する、干渉する
□ **interpret** – inter (間で) + pret (仲介する)
　→ 解釈する、通訳する
□ **interrupt** – inter (間で) + rupt (破壊する)
　→ 邪魔する、中断する
□ **intermediate** – inter (間の) + media (媒体) → 中級の

30

com (強意)
+ mand (命ずる)
　→ command

mon, mend, mand は「命じる」「示す」

□ **summon** – sum (ひそかに) + mon (注意する) → 招集する
□ **monument** – mon (示す) + ment (名詞化) → 記念碑
□ **command** – com (強意) + mand (命令する) → 命令する
□ **demand** – de (分離) + mand (命令する)
　→ 需要、要求 (する)
□ **recommend** – re (強意) + com (強意) + mend (ゆだねる)
　→ 推奨する

178

31

tract は「引っ張る」
□ **extract** – ex（外へ）+ tract（引っ張る）
→ 引き出す、抜粋する
□ **subtract** – sub（下に）+ tract（引っ張る）→ 引く、減じる
□ **distract** – dis（分離）+ tract（引っ張る）→ 気をそらせる

ex（外へ）+ tract（引っ張る）
→ extract

32

tribute は「授ける」「分配する」
□ **contribute** – con（一緒に）+ tribute（与える）
→ 寄付する、貢献する
□ **distribute** – dis（分離）+ tribute（分け与える）
→ 分配する、配布する
□ **attribute** – at（～に）+ tribute（割り当てる）
→ ～のせいにする

dis（分離）
+ tribute（分け与える）
→ distribute

33

under は「下に」↔ over「上に」
□ **undergo** – under（下に）+ go（行く）
→ （いやなことを）経験する、受ける
□ **undertake** – under（下を）+ take（取る）
→ 引き受ける、始める
□ **underestimate** – under（下に）+ estimate（評価する）
→ 過小評価する

under（下に）+ go（行く）
→ undergo

34

up は「上へ」↔ down「下へ」
□ **upgrade** – up（上へ）+ grade（格付けする）
→ 格上げする
□ **upright** – up（上へ）+ right（まっすぐに）→ 直立した
□ **upset** – up（上に）+ set（置く）
→ ひっくり返す、だめにする、心を乱す

up（上へ）+ right（まっすぐに）
→ upright

pet(e) は「求める」

- □ **compete** – com (共に) + pete (求める) ➜ 競争する
- □ **appetite** – ap (〜の方へ) + pet (求める) + ite (名詞化)
  ➜ 食欲、欲望
- □ **competent** – com (共に) + pet (求める) + ent (形容詞化)
  ➜ 適任の、有能な

com(共に)＋pete(求める)
→compete

ject は「投げられた」

- □ **object** – ob (〜に反対して) + ject (投げる)
  ➜ 反対する、異議を唱える
- □ **project** – pro (前へ) + ject (投げられた)
  ➜ 〜を計画する、考案する
- □ **reject** – re (もとへ) + ject (投げる) ➜ 拒絶する、不良品
- □ **subject** – sub (〜の下に) + ject (投げられた)
  ➜ 服従させる、支配する

re(もとへ)＋ject(投げる)
→reject

sist は「立つ」

- □ **assist** – as (〜に) + sist (立つ) ➜ 〜を助ける、手伝う
- □ **consist** – con (共に) + sist (立つ)
  ➜ 〜から成り立つ、一致する
- □ **insist** – in (中に) + sist (立つ) ➜ 要求する、主張する
- □ **persist** – per (一貫して) + sist (立つ)
  ➜ 〜に固執する、貫く

as(〜に)＋sist(立つ)
→assist

serve は「保つ」

- □ **conserve** – con (共に) + serve (保つ)
  ➜ 保存する、保護する
- □ **deserve** – de (完全に) + serve (役立つ) ➜ 〜に値する
- □ **preserve** – pre (前に) + serve (保つ)
  ➜ 保つ、守る、保存する
- □ **reserve** – re (後ろに) + serve (保管する)
  ➜ 取っておく、予約する

con(共に)＋serve(保つ)
→conserve

39

manu(再び)
+script(動かす)
→manuscript

mani, manu は「手(で)」
□ **manifest** – mani (手) + fest (つかまる可能性がある)
  → ~を明らかにする、証明する
□ **manual** – manu (手) + al (~に関する)
  → 手の、手動の、マニュアル
□ **manufacture** – manu (手で) + fact (作る) → 製造 (する)
□ **manuscript** – manu (手で) + script (書いたもの)
  → 原稿、手書き

40

con(強意)
+sume(食べる、飲む)
→consume

sume は「取る」
□ **assume** – as (~に) + sume (~の態度を取る)
  → 想定する、憶測する
□ **consume** – con (強意) + sume (食べる、飲む)
  → 消費する、使い果たす
□ **presume** – pre (前に) + sume (取る) → 推定する、思う
□ **resume** – re (再び) + sume (取る)
  → 再び始める、再開する

41

con(共に)
+strucat(積み上げる)
→construct

struct は「積み上げる」「築く」
□ **construct** – con (共に) + struct (積み上げる)
  → 組み立てる、建設する
□ **instruct** – in (中に) + struct (積み上げる、築く)
  → 教える、指示する
□ **structure** – struct (積み上げる) + ure (~こと)
  → 構造、建造物

42

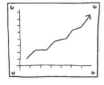

pro(先を) + spect(見る)
→prospect

spect は「見る」
□ **inspect** – in (中を) + spect (見る)
  → 調査する、検査する
□ **perspective** – per (完全に) + spect (見る)
  → 遠近法、大局、観点
□ **prospect** – pro (先を) + spect (見る)
  → 見込み、ながめ

見出し語 索引

英検 1 級指導 36 年、合格者 2400 名を誇る信頼のプログラム

**集中講座・オンライン Zoom 受講・e-learning の 3 段構えで
英検 1 級・準 1 級合格を確実に Get！**

■ 通学・通信講座

**英検準 1 級・1 級
1 次・2 次試験突破講座**
英検 1 級合格者 2400 名の実績を持つプログラムと講師陣によって、受講者を一気に合格へと導く！

**英検準 1 級・1 級
語彙力 UP 講座**
英検準 1 級・1 級に合格するための光速語彙力 UP に特化したエジュテイニングな e-learning 講座

**英検 1 級
ライティング講座**
エッセイ問題のスコア UP に特化した講座・レッスンで、合格のためのライティングのエッセンスを伝授！

**IELTS 7 点突破
集中講座**
主にライティング添削＆発信力 UP 指導によって、一気に IELTS スコア 7 点を突破するためのプライベート・セミプライベートレッスン

**英検準 1 級
ライティング講座**
エッセイ問題のスコア UP に特化した講座・レッスンで、合格のためのライティングのエッセンスを伝授！

**通訳案内士試験
突破講座**
1 次・2 次試験に同時に合格できるように、日本文化英語発信力を一気に UP させる集中対策講座

■ 詳しくはホームページをご覧下さい。

http://www.aquaries-school.com/ e-mail: info@aquaries-school.com

※ お問い合わせ、お申し込みはフリーダイヤル **0120-858-994**
（えいごはここよ）

Ichay Ueda 学長　Aquaries School of Communication（アクエアリーズ）

大阪・東京・横浜・京都・名古屋・姫路・奈良校　受付中

著者略歴

植田一三 (うえだ・いちぞう)

英悟の超人 (amortal philosophartist) 英語の勉強を通じて人間力を鍛え、自己実現と社会貢献を目指す「英悟道」、Let's enjoy the process (陽は必ず昇る) をモットーに、36 年以上の指導歴で、英検 1 級合格者を約 2400 名、資格 5 冠 (英検 1 級、通訳案内士、TOEIC980 点、国連英検特 A 級、工業英検 1 級) 突破者を 120 名以上育てる。ノースウェスタン大学院コミュニケーション学部卒業後、テキサス大学博士課程に留学し、同大学で異文化コミュニケーションを指導。著書は中国語、韓国語、日本語学習書と多岐に渡り、その多くはアジア 5 か国で翻訳されている。

藤井めぐみ (ふじい・めぐみ)

米国オハイオ州立ノートン高校卒業ディプロマ取得。英国ロンドン大学キングズカレッジ大学院修士課程 (英語学) 修了。英検 1 級。私立高校教員、英会話教室講師、通訳等の経験を活かし、現在、幼児から大人までを対象に、英語教室「ピース英語研究室」を主宰。「ひとり、ひとりが地球のかけら、理解しあえる世界へ」というスローガンを掲げ、言葉の力でまず目の前の一人が変わり、やがて日本そして世界を変えることを願うピースコミュニケーションエデュケーター。

上田敏子 (うえだ・としこ)

アクエアリーズ英検 1 級・国連英検特 A 級・通訳案内士・工業英検 1 級講座講師。バーミンガム大学院修了、日本最高峰資格「工業英検 1 級」「国連英検特 A 級」優秀賞取得、英検 1 級、TOEIC 満点、通訳案内士国家資格取得。鋭い異文化洞察と芸術的鑑識眼を備え、英語教育を通して多くの人々を救わんとする、英語教育界切ってのワンダーウーマン。主な著書に『英語で経済・政治・社会を討論する技術と表現』、『英検全級ライティング&面接大特訓シリーズ』、『英語で説明する日本の文化シリーズ』がある。

塚正峯子 (つかまさ・みねこ)

オーストラリアで英語教授法を学び TESOL 取得後、現地でインストラクターを務める。帰国後は、入門から上級まで日本人英語学習者のコミュニケーション 4 技能を UP させる最も効果的な指導法を研究開発し、KEC 外語学院で 15 年以上指導しながら、オンライン学習時代に即応する英語自宅学習コンサルタントとして活躍中。

省エネ合格 でる単語だけ大特訓
英検 2 級 TOP600

2020 年 3 月 9 日　初版　第 1 刷発行

編著者	植田一三
著　者	藤井めぐみ、上田敏子、塚正峯子
発行人	天谷修平
発　行	株式会社オープンゲート
	〒 101-0051
	東京都千代田区神田神保町 2-14 SP 神保町ビル 5 階
	Tel. 03-5213-4125　　Fax. 03-5213-4126

装丁	株式会社カニカピラ／宮村ヤスヲ
カバー・表紙イラスト	八重樫王明
本文デザイン・DTP	清水裕久 (Pesco Paint)
本文イラスト	島津敦 (Pesco Paint)
印刷・製本	株式会社光邦
音声制作協力	ジェイルハウス・ミュージック
ナレーション	Howard Colefield
	Peter von Gomm
	Rachel Walzer
	のばら